D0774590

Nous remercions le ministère du Patrimoine canadien,
la SODEC et le Conseil des Arts du Canada
de l'aide accordée à notre programme de publication

Patrimoine   Canadian
canadien   Heritage

        Conseil des Arts   Canada Council
                  du Canada   for the Arts

ainsi que le Gouvernement du Québec
– Programme de crédit d'impôt
pour l'édition de livres
– Gestion SODEC.

Nous reconnaissons l'aide financière
du Gouvernement du Canada
par l'entremise du Programme d'aide au développement
de l'industrie de l'édition (PADIÉ) pour ce projet.

Illustration de la couverture :
Joanie Chauvette

Maquette de la couverture :
Grafikar

Montage de la couverture :
Ariane Baril

Édition électronique :
Infographie DN

Membre de l'Association nationale des éditeurs de livres

ASSOCIATION
NATIONALE
DES ÉDITEURS
DE LIVRES

Dépôt légal : 2ᵉ trimestre 2011
Bibliothèque nationale du Canada
Bibliothèque nationale du Québec

1234567890 IM 987654321

LES MARLOTS
la découverte

Données de catalogage avant publication (Canada)

Milot, Samuel

    Les Marlots, la découverte

    (Collection Chacal ; 54)
    Pour les jeunes de 12 à 17 ans.

    ISBN 978-2-89633-147-5

    1. Chauvette, Joanie II. Titre III. Collection :
    Collection Chacal ; 54.

PS8626.I46M37 2010   jC843'.6   C2010-941559-0
PS9626.I46M37 2010

LES MARLOTS
la découverte

SAMUEL MILOT

roman

ÉDITIONS
PIERRE TISSEYRE
www.tisseyre.ca

155, rue Maurice
Rosemère (Québec) J7A 2S8
Téléphone: 514-335-0777 – Télécopieur: 514-335-6723
Courriel: info@edtisseyre.ca

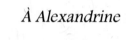

À Alexandrine

Chapitre 1

Fin octobre
Mauricie

Tout commença lors d'une froide soirée d'automne, alors qu'un orage menaçant prenait forme au-dessus de ma propriété. Je revenais tout juste d'Amérique du Sud où j'avais participé aux fouilles archéologiques d'un site inca. Le temps chaud et sec du Pérou me manquait déjà et je m'adaptais mal au climat pluvieux de la province, à l'aube de l'hiver. Néanmoins, je m'y sentais chez moi.

En tant qu'anthropologue, je consacrais ma vie à l'étude des civilisations disparues et je devais régulièrement quitter le Québec pour rejoindre des équipes de chercheurs un peu partout sur le globe. J'aimais par-dessus tout ces départs vers l'inconnu, vers

 9

des contrées lointaines et parfois hostiles où je mettais au jour les secrets de peuples légendaires.

Jamais, au cours de ces périples, je n'aurais cru que ce serait chez moi, au beau milieu de la campagne québécoise, que je vivrais la plus grande aventure de ma vie.

Au crépuscule, les premières gouttes de pluie résonnèrent sur mon toit de tôle. J'étais alors en train de cuisiner mon souper en écoutant crépiter le feu dans mon foyer et j'hésitais à entamer une bouteille de vin que j'avais rapportée de l'autre bout du monde. En principe, ce millésime était destiné à une occasion spéciale, mais puisque je n'en avais que rarement, je décidai de le déboucher et de le déguster seul en cette froide soirée. Une fois à table, éclairé par quelques bougies, je me régalai de mon festin en fêtant, dans la solitude, mon retour au pays. *Heureux de te revoir dans le coin, Robert!* me dis-je à moi-même en levant mon verre.

Peu à peu, le foyer transforma les bûches trempées en un chaud brasier réconfortant et la pluie se mua en une violente averse. Une panne d'électricité confirma la force de l'orage et je dus allumer de nouvelles chandelles. Des rafales fouettaient avec rage les carreaux des fenêtres et des éclairs illuminaient le ciel en colère.

— Quel spectacle magnifique! m'exclamai-je.

Assis au salon, je sirotais calmement mon vin tout en écoutant la tempête gronder à l'extérieur. Le regret d'avoir entamé mon grand cru se dissipa au fil des gorgées et je me perdis tranquillement dans mes pensées. Je me remémorais mes derniers voyages et je rêvais à tous ceux que je ferais bientôt quand, soudain, il y eut un fracas à la fenêtre. Je bondis de mon siège et je renversai du même coup le contenu de ma coupe sur ma belle chemise blanche. *Qu'est-ce que c'est?*

Je m'approchai de la fenêtre en espérant y découvrir les traces d'une simple pomme lancée par un farceur. Toutefois, je n'étais pas dupe et je me doutais bien que personne ne devait se trouver dehors par ce temps. D'autant plus que ma maison était perdue dans le fond d'un rang peu achalandé et que je n'avais aucun voisin à des kilomètres à la ronde…

Avec ma chemise tachée de rouge, je collai mon visage contre ma vitre, mais la lumière ambiante du salon m'empêchait de voir à plus d'un pied dans la cour. Craignant de tomber sur *quelque chose*, je m'abstins de sortir et je m'assis de nouveau dans mon fauteuil tout en fixant la fenêtre. Le mouvement aléatoire des flammes du foyer y projetait des ombres qui me faisaient parfois sursauter. Heureusement, le bruit étrange ne se manifesta pas une seconde fois.

Au bout de quelques minutes pendant lesquelles j'essayai vainement de retrouver la sérénité qui m'avait habité avant l'impact mystérieux, je pris mon courage à deux mains et tentai d'en découvrir l'origine. *Franchement, n'aie pas peur, mauviette!* Je déposai donc ma coupe sur la table à café avant de franchir le seuil de la porte d'entrée, pieds nus. Mes lumières extérieures étaient hors d'usage et, peu prévoyant, je ne disposais d'aucune lampe de poche fonctionnelle. J'avançai donc fébrilement dans le noir, sur ma galerie, poings serrés et gorge nouée.

La lueur du feu qui traversait les carreaux me permit de me diriger plus ou moins efficacement jusqu'au coin de la maison. En m'étirant le cou, je jetai un coup d'œil au mur de côté et à mon terrain. D'abord, à mon grand soulagement, je ne vis rien d'anormal.

Toutefois, au moment même où je tournais les talons, je sursautai en frôlant quelque chose qui gisait sur les planches du balcon. La foudre tomba au même moment et, l'espace d'un éclair, j'entrevis une petite bestiole inanimée à mes pieds. Mes yeux commençaient à se faire à l'obscurité, je pus ainsi constater qu'il s'agissait d'un moineau mort, probablement après avoir heurté ma fenêtre.

Tout cela pour un moineau ! soupirai-je, non sans ressentir de la pitié pour la brave bête qui avait été trompée par mes carreaux fraîchement lavés.

C'est donc avec le cœur léger que je retournai vers mon foyer pour y saisir une petite pelle à cendres avant de ressortir avec l'intention de prendre le minuscule cadavre et de le mettre le plus respectueusement possible à la poubelle. Mais alors que je me penchais, outil à la main, je fis un sursaut encore pire que le premier.

— Qu'est-ce que c'est ? m'écriai-je.

À ma grande surprise, sous le moineau se trouvait un autre animal apparemment sans vie. Avec ses grandes oreilles, il ressemblait à une sorte de rat. Ayant toujours été dégoûté par ces créatures d'une hygiène douteuse, j'hésitai avant de faire glisser cette bête sur ma pelle. J'ignorais si elle était vraiment morte et je ne voulais surtout pas prendre le risque qu'elle s'éveille et se faufile dans mes vêtements.

Délicatement, du bout de ma pelle, je dégageai donc le corps inerte du moineau pour le prendre à part. La demi-obscurité et le froid rendaient mes gestes imprécis. J'avais hâte d'en finir, mais j'étais tout de même curieux et je cherchais à comprendre comment un moineau et un rat avaient pu expirer dans une telle position. *Le moineau a dû assommer le rat en tombant dessus*, conclus-je pour moi-même.

Mais le rat n'en était pas un. Loin de là.

En effet, une fois le corps du moineau mis de côté, je dus m'agripper à la rampe de la galerie pour ne pas perdre pied, abasourdi par mon incroyable découverte. Au sol, couché sur le dos et immobile, se trouvait un être étrange dont l'existence à ce jour, je le savais, était ignorée de l'humanité. Ce n'était pas un rongeur, c'était un spécimen d'une espèce inconnue ! Je le soulevai avec ma pelle et je me précipitai à la cuisine pour mieux le voir.

Je déposai la créature sur ma table et rassemblai autour d'elle toutes les chandelles de la maison.

— On dirait un petit singe ! pensai-je tout haut.

De fait, l'être que j'avais sous les yeux possédait les caractères propres à l'ordre des primates et à la famille des hominidés. Autrement dit, ses yeux étaient placés bien en avant de sa face dépourvue de museau, ce qui devait lui procurer les avantages d'une vision stéréoscopique. Il avait également deux bras et deux mains, chacune munie de cinq doigts, dont un pouce opposable lui permettant de bien saisir les objets. Enfin, la forme de sa colonne et celle de son bassin suggéraient qu'il se déplaçait debout. Il s'agissait donc d'un être bipède, comme les humains… Toutefois, contrairement à l'homme, il mesurait tout au plus huit centimètres et un étrange duvet recouvrait tout le haut de son corps.

À l'aide de deux stylos ramassés à la hâte, je me mis à examiner ces petites plumes. Je réalisai alors que le duvet n'appartenait pas au corps de la bête et qu'il s'agissait plutôt d'un vêtement ! J'en eus des sueurs froides. Je me laissai aussitôt tomber sur ma chaise en enfonçant mon front dans mes paumes.

— Cette chose est habillée, balbutiai-je. C'est impossible !

Je pris quelques instants pour calmer mon trouble en ne quittant point la bestiole du regard. Elle était immobile sur ma table, entre les reliefs de mon repas. Je m'en approchai de nouveau en prenant bien mon temps, à présent pleinement conscient que cette rencontre allait changer à jamais le cours de ma vie.

Toujours avec mes stylos, je soulevai le duvet de la chose et tentai, sans succès, de l'enlever. Finalement, j'allai chercher un petit ciseau à manucure et une pince à épiler. Avec le ciseau, je me mis à découper le vêtement en m'évertuant à ne pas blesser davantage la créature.

— Doucement, Robert, doucement, me répétai-je.

Le duvet était fermement tissé et, lorsque je réussis enfin à le mettre en pièces, je le retirai du petit être à l'aide de ma pince. Je pouvais maintenant constater que mon visiteur n'avait pas de poil. Mieux encore, je voyais très bien sa poitrine rosée inspirer de l'air pour ensuite le rejeter.

— Vivant ! Il est vivant ! criai-je en sautant de joie dans la maison.

La créature était indemne ! Fantastique ! Je ne pouvais en croire mes yeux ! J'exultais. Je venais de mettre au jour une nouvelle espèce voisine de l'homme !

Je courus alors vers mon guéridon couvert de paperasse. Je saisis une feuille que je déposai à côté de la chose pour prendre le plus de notes possible. Réflexe d'anthropologue !

Dans ce carnet de terrain improvisé, j'écrivis :

J'ai découvert un petit homme en dessous d'un moineau mort. Il porte des vêtements et il est vivant ! VIVANT !!!

Mon excitation m'empêchait d'exprimer quelque chose de plus précis, mais je m'en fichais pour le moment. J'avais parcouru le monde entier pour étudier ses civilisations anciennes et voilà que chez moi, en cette soirée d'automne, je faisais la rencontre d'une nouvelle espèce humaine. Un homme de format miniature qui respirait !

Longuement, je fixai la créature en espérant la voir bouger avant de sombrer, malgré moi, dans le sommeil et le rêve. Je me réveillai tôt le lendemain matin, dérangé par le tintement de ma sonnette d'entrée. C'était le camelot apportant le journal auquel je m'étais abonné la veille. *Bon service !* Je me levai d'un bond vers la table. Le petit homme n'avait pas frémi d'un poil et il respirait toujours. J'allai à la porte où je rencontrai le livreur âgé d'environ dix ans. Il était maigrichon et ses cheveux brun clair étaient fraîchement coupés. Il me présenta mon premier journal et une facture.

— Autant ? lui dis-je en détaillant le relevé.

— Autant ! répondit-il avec un brin d'arrogance. Les journaux se payent d'avance une fois par mois. Je vous conseille de tout payer aujourd'hui, sinon je devrai annuler votre abonnement.

— Annuler ? Pourquoi ? Je me suis abonné hier ! lançai-je, stupéfait par la menace du garçon. Je vais payer, un instant !

Je saisis mon portefeuille et j'y trouvai quelques billets canadiens parmi mes devises étrangères. Insatisfait du délai des opérations, le jeune camelot goguenard réclama impatiemment son dû en me présentant sa main ouverte. Je lui remis la somme demandée, mais alors que je fermais la porte, il plaça son pied dans l'embrasure.

— Mon pourboire ?

— Un pourboire ? Tu ne m'as livré qu'un seul journal !

— Et alors ? Vous habitez plutôt loin…

Plutôt loin ? Estomaqué par cette remarque du gamin, je repoussai son pied du bout de mes orteils et je lui claquai la porte au nez. Le jeune camelot n'insista pas. Par la fenêtre, je le vis enfourcher sa bicyclette surchargée de journaux pour retourner tranquillement vers le village. Après une telle démonstration de pingrerie, j'aurais parié que mon camelot deviendrait, d'ici quelques années, un impitoyable homme d'affaires, des affaires loin des miennes de préférence.

Dès que le garçon eût disparu de ma vue, je retournai auprès de ma découverte. Je déplaçai le petit être avec précaution pour le déposer dans la cage de ma défunte perruche où j'avais aménagé un menu lit douillet. *Elle est si légère!* pensai-je en soulevant la créature. À partir de ce moment, mon attention ne se détacha plus une seule fois de mon étrange invité.

Son apparence était tout à fait fascinante. Ses traits étaient fins, comme les nôtres, mais ses oreilles étaient différentes. Elles ressemblaient à celles d'une souris, mais étaient glabres. Le petit homme avait aussi de longs cheveux bruns recouvrant le dessus de son crâne. Il portait un pantalon et des bottes, faits d'un cuir dont la couleur se confondait avec celle de sa peau, raison pour laquelle je ne les avais pas remarqués la veille. *Encore des vêtements!* Il était athlétique et dans la force de l'âge. Il était clair, à sa stature, qu'il s'agissait d'un mâle.

Alors que j'examinais attentivement mon protégé, je perçus un léger mouvement sur son visage, comme une grimace, et ses jambes commencèrent à gigoter. Mon cœur se mit à battre à tout rompre. À travers les petits barreaux dorés de la cage, j'observais la créature qui semblait reprendre peu à peu ses esprits ! De grosses gouttes de sueur perlaient sur mon front et j'avais de la difficulté à contenir mon excitation. J'assistais au réveil du petit homme !

Couché dans son minuscule lit, il laissait échapper de petits cris en agitant tous ses membres. Il marmonnait quelque chose, un peu comme s'il parlait en rêvant. Je pouvais distinguer divers phonèmes qui ressemblaient à des mots connus. *Il parle ma langue, c'est impossible !*

Je crus entendre les mots « aide » et « cité ». Je collai immédiatement mon oreille sur les barreaux afin de mieux comprendre ses paroles, mais elles s'arrêtèrent brusquement. Je scrutai la créature. Elle avait les yeux ouverts ! Puis, avant que je n'aie le temps de réagir, la chose bondit sur ses jambes en poussant un long gémissement. *Bipède, j'en ai la confirmation !* Elle massa son épaule droite qui semblait être disloquée et extrêmement douloureuse. Son regard se leva ensuite dans ma direction et un malaise étrange m'envahit. Le petit homme venait tout juste de repérer ma présence, au-delà des barreaux !

Malgré sa blessure, il adopta une position de combat et, instinctivement, je reculai d'un pas. *Faites que la cage tienne le coup !* La créature me regardait nerveusement tout en jetant de rapides coups d'œil à son nouvel environnement. Elle réalisa rapidement qu'elle était enfermée dans une prison métallique. Elle demeura alors immobile, n'essayant même pas de s'échapper. Apparemment, le petit prisonnier désirait plutôt se battre contre ma personne !

Nous étions tous deux figés, nous dévisageant. Toutefois, contrairement à moi, la créature affichait une mine belliqueuse. Elle se savait piégée et devait forcément me prendre pour un ennemi. Ma taille à elle seule devait l'effrayer. Afin d'apaiser mon visiteur et de manifester ma bonne volonté, je m'éloignai de la cage. La créature en profita pour bondir une fois de plus dans ma direction ! Surpris, je butai contre ma chaise et tombai au sol. Le petit homme s'agrippa alors à un barreau, testa rapidement sa solidité et fit un saut périlleux arrière pour revenir à sa position initiale. *Habile !* Il empoigna ensuite son épaule disloquée en gémissant.

Je me relevai avec l'assurance que la cage pouvait contenir cet être étrange. J'étais soulagé, mais mon invité semblait de plus en plus fébrile. Je m'assis sur ma chaise pour mieux profiter du spectacle. Malgré la douleur à son épaule, la créature s'élançait à différents endroits dans la cage, testant systématiquement la solidité des barreaux. Puis, elle fixa des yeux le loquet de la porte. Elle sauta sans attendre en sa direction et essaya de l'ouvrir. Je l'en empêchai de mon doigt.

— Tu es brillant, à ce que je peux voir ! lui dis-je en souriant.

Le petit être regagna le lit en m'observant avec étonnement. On aurait dit qu'il m'avait compris. Pour la première fois depuis son réveil, il abandonna sa position de combat et les manifestations d'hostilité pour se tenir normalement. Il semblait réfléchir. J'étais stupéfait d'assister à une telle scène. *Il est*

intelligent, c'est certain. Au bout d'un moment, il devint amorphe, probablement fatigué par les derniers événements. Rencontrer un géant, combattre la douleur à son épaule et tenter de s'échapper d'une prison : tout cela l'avait exténué. Je le vis poser un genou au sol et tomber lourdement sur le côté, inconscient.

Possédant quelques notions de base en premiers soins, je décidai de profiter du sommeil de mon invité pour replacer son articulation. Ce n'était pas la première fois que je procédais à une telle opération. Toutefois, je devais faire preuve d'une extrême délicatesse afin d'éviter d'arracher le membre de mon minuscule patient. Je cessai de respirer pour augmenter la précision de mes gestes. Puis je tirai légèrement sur l'humérus jusqu'à ce que je le sente reprendre sa place au creux de l'épaule. *Ça y est !* Un pansement pour accélérer la guérison et l'opération était réussie !

Le petit hominidé ne reprit ses esprits que sur l'heure du dîner. Toujours ébranlé par ses mésaventures, il s'assit péniblement sur le bord de son lit pour examiner sa blessure. Il réalisa certainement qu'elle ne le faisait plus autant souffrir. En tâtant son bandage, il me chercha du regard comme s'il me demandait si j'étais bien celui qui l'avait soigné. J'opinai du menton et il sembla saisir ce signe d'assentiment.

— Qui es-tu, petit homme ? lui demandai-je timidement. Est-ce que tu me comprends, au moins, quand je parle ?

Son expression se transforma. Il était visiblement surpris d'entendre de tels propos, mais il ne me répondit pas. De toute évidence, il hésitait à m'adresser la parole.

— Tu es méfiant, je le serais aussi.

Toujours silencieux, il continua de me regarder. Je me doutais bien qu'il ne me dirait rien, mais j'espérais lui montrer mon pacifisme en parlant paisiblement. Je ne voulais point son malheur, au contraire. Je voulais tout simplement apprendre à le connaître. Ce n'est quand même pas tous les jours que l'on tombe sur une créature vivante inconnue de l'humanité !

Je persistai à essayer de le rassurer en monologuant calmement, mais je voyais bien que cela provoquait l'effet inverse. *Peut-être a-t-il faim ?* En observant sa dentition, je vins à la conclusion qu'il devait être omnivore. Ses canines étaient de la même longueur que ses molaires, donc elles n'étaient pas destinées à déchirer la chair. Il devait se nourrir normalement de petits fruits, de feuillage et peut-être même d'insectes. Je lui apportai donc une feuille de salade et un morceau de pomme, mais il ne toucha à rien.

Ne sachant de quelle façon le satisfaire, je m'installai près de ma fenêtre pour noter mes dernières observations. À l'extérieur, mon thermomètre indiquait presque le point de congélation et un vent du nord soufflait sans gêne sur ma propriété. Un temps pareil ne pouvait qu'annoncer la venue prochaine de la neige et de l'hiver, la plus paisible des saisons de l'année. La température avait chuté à une telle vitesse que j'avais peine à croire qu'hier encore un orage avait déchiré le ciel.

Dans quelques semaines, tout le paysage serait blanc. Les champs et les nombreux vergers de la région seraient ensevelis sous une épaisse couche de neige. La terre entrerait en dormance et les cultivateurs pourraient souffler jusqu'au printemps. Mon cas était différent et je devinais qu'avec le petit hominidé à mes côtés, l'hiver qui approchait à grands pas ne me serait d'aucun repos.

Chapitre 2

Mi-novembre
Mauricie

Plus de deux semaines avaient passé depuis que j'avais découvert la créature sur le plancher de ma galerie. Toujours confinée dans sa cage, elle se rétablissait tranquillement de sa blessure à l'épaule, mais son moral était en chute libre. Être prisonnier remplissait le petit être de tristesse et j'étais incapable de lui changer les idées. Jamais il n'aurait dû se retrouver chez moi, je le savais très bien. De toute évidence, cette escale imprévue lui causait bien des souffrances. Toutefois, même si j'étais envahi par un fort sentiment de culpabilité, je ne pouvais me résoudre à le laisser partir. Plus que tout au monde je voulais, je *devais* comprendre comment cette espèce extraordinaire, si semblable à la nôtre, avait fait pour exister à notre insu. *Comment ?* J'avais beau consulter toutes les monographies, relire les travaux de Leakey et Mendel et même remonter jusqu'aux recherches de Linné et Darwin : je ne trouvais aucune bribe de réponse à mes interrogations.

Malgré mon trouble, les journées s'écoulaient doucement et je veillais constamment sur mon invité. Je tâchais de lui apporter un nouveau mets à chaque repas, mais il refusait toujours d'avaler quoi que ce soit. Assis sur son lit, il se contentait de m'observer ou encore il faisait un peu d'exercice en se balançant nonchalamment sur les barreaux de la cage. Je me doutais bien qu'il espérait un jour trouver une faille à sa prison bien qu'il n'existât aucune manière d'y échapper, d'autant plus que j'avais solidifié le loquet de la porte. Mon invité ne pouvait me fausser compagnie.

— Il y aura une tempête de neige cette nuit ! lui dis-je, excité de voir arriver au loin d'immenses cumulonimbus.

J'avais pris l'habitude de lui parler, même s'il ne me répondait jamais. Cela me divertissait et semblait même, parfois, piquer la curiosité de mon invité qui m'écoutait attentivement. J'étais persuadé qu'il comprenait ce que je lui disais. *Aide ? Cité ?* Mon imagination m'avait-elle joué un tour lorsque j'avais cru entendre la créature marmonner ces mots ? Non. Son silence était volontaire, j'aurais pu le jurer. *Mais pourquoi ?*

Mes prédictions météorologiques s'avérèrent exactes et, durant la nuit, la première tempête de neige de l'année s'abattit sur la région. Des vents glacials soufflaient fort et ma cheminée fonctionnait à plein régime. Au petit matin, une vingtaine de centimètres de neige recouvraient le sol. En l'espace de cette seule nuit, le paysage s'était complètement métamorphosé. L'hiver, le vrai, était officiellement commencé !

Encore endormi, je sortis de ma chambre. À la cuisine m'attendait ma cafetière préprogrammée. Je me servis une tasse de café bouillant et j'allai chercher en frissonnant mon journal dans ma boîte aux lettres, au bord de la route. *Quelle première bordée !*

— Ils annoncent un temps pareil toute la semaine ! dis-je au petit homme en rentrant, mon journal ouvert à la chronique météo.

Ce dernier était déjà réveillé. Accoté contre les barreaux, il contemplait le paysage enneigé par la fenêtre en marmottant quelques mots incompréhensibles. Curieux, je m'approchai pour entendre ce qu'il disait. Il leva lentement les yeux dans ma direction, comme s'il me demandait de quoi je me mêlais. Mal à l'aise, je retournai à mon journal qui reposait sur le bout de la table.

— Pas grand-chose d'intéressant, ce matin ! lançai-je en tournant les pages.

Je déposai alors le journal pour aller me faire à déjeuner. J'offris une fois de plus une petite assiette de pain à la créature. Cette fois, elle daigna se nourrir.

— Tu manges enfin ! m'exclamai-je.

Après plus de deux semaines de jeûne, le petit homme grignotait enfin un morceau ! Il vida même rapidement son assiette. Ravi, je lui servis une nouvelle portion de pain qu'il engloutit sans tarder. Je ressentis à ce moment un changement d'attitude chez mon invité. Il semblait à présent volontaire et prêt à se ressaisir. *Fantastique !*

Le petit homme, ventre plein, me dévisagea. En tenant un verre imaginaire, il fit mine de boire.

— Tu as soif ? lui demandai-je.

Incroyable ! Mon invité communiquait enfin avec moi, événement que je n'espérais plus ! Il ne s'exprimait peut-être pas avec des mots, mais tout de même…

— Tu veux de l'eau ? lui demandai-je encore d'un ton fébrile.

Je courus vers l'évier avec un dé à coudre et je le remplis d'eau. Je retournai vers la cage et j'en ouvris la porte d'une main en prenant garde que mon invité ne se faufile vers l'extérieur. De mon autre main, je déposai le dé à coudre au pied de la créature. Je refermai aussitôt la porte.

Le petit homme se dirigea prestement vers le dé pour s'y désaltérer. Avec sa main, il recueillait le précieux liquide avant de le porter à ses lèvres. Mon protégé s'était probablement fait à l'idée qu'il devrait partager ma vie jusqu'à ce que j'en décide autrement et il avait abandonné sa grève de la faim. Après avoir étanché sa soif, il toussota et leva doucement la tête vers moi qui l'observais attentivement.

— Merci, dit-il simplement.

33

— Hourra ! criai-je spontanément, sautant dans les airs et levant mes bras en vainqueur.

Étonné de ma réaction, le petit hominidé recula d'un pas. La surprise passée, il ne put s'empêcher de sourire devant mon enthousiasme.

— Il parle ! Il parle ! répétai-je en riant.

Je n'avais donc pas rêvé ! J'en conclus instantanément que la créature avait un larynx positionné assez bas dans la gorge, un prérequis évolutif à l'apparition du langage articulé qui, jusqu'à ce jour, avait été l'apanage de l'homme. Bref, je venais de faire, sans aucun doute, la plus grande découverte de tous les temps ! Un être d'apparence humaine en format miniature qui parle ! *Je fais maintenant partie de l'Histoire !*

Chapitre 3

24 décembre
Mauricie

— Bonjour, Robert ! Toujours plongé dans vos travaux ? me demanda l'épicier du village en m'accueillant.

— J'ai été dérangé, mais pour le mieux ! répondis-je en pensant au petit homme.

— Heureux pour vous, alors !

— Merci !

Merci ! Le dernier et unique mot formulé par la créature depuis le mois de novembre. Malgré tous mes efforts pour la faire parler de nouveau, elle n'avait prononcé aucune autre syllabe. Elle refusait d'engager toute conversation avec moi. J'avais même fini par oublier le son de sa voix. Dire que je m'étais imaginé discutant avec elle : je m'étais fourvoyé ! Son silence entêté ne l'avait heureusement pas empêchée de prendre du mieux. Son épaule s'était totalement rétablie et son moral semblait meilleur. Si seulement elle acceptait de s'ouvrir à moi !

La petite épicerie du village était pratiquement vide. Elle se trouvait à la seule intersection de la paroisse isolée. L'épicier, un vieil homme sympathique, toujours impeccablement vêtu et arborant fièrement une épaisse moustache blanche, y accueillait ses clients depuis plus d'un demi-siècle. J'entrepris de parcourir les quelques allées du magasin en remplissant compulsivement mon panier. Il me tardait déjà de rentrer auprès de mon invité. Malheureusement, en passant le rayon des conserves, je tombai face à face avec celui qui s'acharnait sur moi depuis un bon moment.

— Toi ! lui dis-je sèchement.

— Vous ! répliqua-t-il en souriant. Je viendrai vous voir samedi pour votre abonnement ! Tâchez de pelleter votre entrée !

Le petit camelot de dix ans, celui qui exigeait mes paiements en avance, me demandait aujourd'hui, sans diplomatie, de mieux entretenir mon allée ! Son assurance inhabituelle pour un jeune de son âge en faisait un véritable monstre à mes yeux.

— Samedi! me répéta-t-il en poursuivant son chemin vers la caisse.

— Compte sur moi pour le déblayage! lançai-je ironiquement dans son dos.

Après avoir rassemblé les derniers items manquants sur ma liste, je me dirigeai à mon tour vers la caisse en espérant que le garnement ne s'y trouvait plus. Je déposai alors le contenu de mon panier sur le comptoir de bois.

— Il est charmant, n'est-ce pas? me dit l'épicier en calculant minutieusement le total de mes achats à l'aide d'une énorme calculatrice jaunie.

Je me demandais de qui il pouvait bien parler.

— Mon petit-fils! Votre camelot! précisa-t-il.

— Mon camelot, charmant? Oui, bien sûr, acquiesçai-je avec un sourire affecté, sans allonger le discours.

L'homme insista pour m'aider à emballer mes provisions dans mes sacs de toile.

— Son patron ne peut qu'être ravi d'avoir un employé aussi dévoué! ajoutai-je pour remplir le silence.

— Il ne pourrait espérer mieux!

— Je ne savais pas que vous aviez des petits-enfants.

— En fait, il est le seul que j'aie et je suis très fier de lui ! Il est si courageux !

— Courageux ? Est-il vraiment dangereux de distribuer le journal dans le coin ?

Pour toute réponse, l'épicier éclata de rire avant de retrouver son sérieux.

— Vous n'êtes pas au courant ? Son père est décédé l'an passé et ma pauvre fille est revenue dernièrement dans la région pour se reprendre en main. C'est moi qui ai trouvé ce travail pour mon petit-fils, ça lui remonte le moral.

Le remords m'envahit aussitôt et je m'en voulus de m'être montré si intolérant à l'égard de mon camelot. Ce n'était tout de même pas sa faute si ma découverte s'avérait décevante en refusant obstinément de m'adresser la parole.

— J'ignorais qu'il avait vécu des moments aussi difficiles…, avouai-je, penaud, en prenant mes sacs.

Le vieil homme me souhaita de joyeuses Fêtes et je lui rendis la politesse. Chargé comme un mulet, je poussai l'antique porte

de bois qui, en s'ouvrant, fit tinter une guirlande de clochettes clouée au linteau. Je quittai le magasin dans le froid, la veille de Noël.

— Vous me donnez un *lift* ? dit une voix derrière moi dès que je mis le pied dehors.

En me retournant, je vis mon jeune camelot, appuyé contre la façade de l'épicerie, le nez rougi par le froid. *Mon petit-fils est si courageux !* Je le regardai quelques instants, mis mon orgueil de côté, et lui fis signe de venir. Alors qu'il était tout près, je lui donnai brusquement mes sacs.

— D'accord, mais tu portes mes bagages !

Il s'immobilisa, surpris, prit mes paquets et les déposa en ordre dans la boîte de ma camionnette. Satisfait par ce spectacle, je déverrouillai les portières.

— Où habites-tu ? lui demandai-je.

— À côté de l'église, m'informa-t-il en s'installant dans mon véhicule.

— Tu rigoles ? C'est à deux minutes de marche d'ici !

— C'est vrai, mais il fait froid ! protesta-t-il tout en augmentant le chauffage de l'habitacle.

39

J'embrayai et empruntai la route menant à la maison du petit camelot. Nous arrivâmes à destination trente secondes plus tard.

— Vingt-cinq sous ! dis-je en gardant mon sérieux.

— Vingt-cinq ? Pourquoi ? demanda-t-il, interloqué.

— Mon pourboire !

— Mais, ça ne vous a même pas pris une minute !

— Ha ! Ha ! L'arroseur est arrosé !

Le gamin me sourit et descendit de ma camionnette.

— N'oubliez pas de déblayer votre allée pour samedi ! crut-il bon de me rappeler en partant.

Et il ne me remercie même pas, pensai-je, découragé.

J'entrai enfin chez moi après m'être à demi enlisé dans mon allée enneigée. Au salon, je sentis la chaleur réconfortante des braises qui finissaient de se consumer dans mon foyer. Je jetai une bûche d'érable dans l'âtre et déballai mon épicerie. Alors que j'étais sur le point de ranger mon pot de cornichons, une vision d'horreur me frappa de plein fouet et me fit échapper le contenant de verre sur le plancher.

La porte de la cage était ouverte !

Je courus aussitôt vers la dernière demeure de ma perruche Coco. *Elle est vide !* Le petit homme ne s'y trouvait plus ! Il était disparu ! Affolé, j'inspectai la pièce du regard.

— Non ! Non ! criai-je en perdant toute contenance.

J'avais sans doute oublié de fermer le loquet et le petit homme en avait profité pour s'échapper ! Je me mis à déplacer tout ce qui se trouvait autour de moi dans l'espoir de mettre la main sur mon protégé, la plus grande découverte de ma vie. J'ouvris les portes de mes armoires et placards, enlevai les coussins du sofa et fis tomber les livres de ma bibliothèque. Ma maison offrait mille cachettes pour un être de si petite taille. *Je l'ai perdu à jamais !*

Je passai une partie de la soirée à chercher encore et encore mon invité, mais en vain. Je fis même le tour extérieur de la maison avec une lampe de poche, espérant apercevoir ses traces. Toutefois, la créature était si légère qu'il était peu probable que je puisse relever sa piste. Désemparé, je rentrai et me laissai lourdement tomber sur mon fauteuil.

— Joyeux Noël, Robert ! Joyeux Noël ! me souhaitai-je sarcastiquement.

Alors que je rageais intérieurement, j'entendis quelque chose grouiller près de la fenêtre. Je me retournai prestement et un poids énorme s'envola de mes épaules. Le petit homme se tenait calmement sur le rebord de la fenêtre du salon ! *Il est revenu !* Soulagé, j'allai immédiatement à sa rencontre et je lui tendis la main pour le ramener vers sa cage, mais il recula d'un pas. Je compris que, désormais, je ne réussirais plus à le confiner dans sa petite prison.

— Où étais-tu passé ? J'ai été si inquiet ! lui dis-je en soupirant.

Il se contenta de me sourire. Je savais qu'il m'avait compris. Je m'affalai dans mon fauteuil pour me remettre de mes émotions, le laissant seul sur le rebord de la fenêtre. Le petit homme bondit alors sur un cadre accroché au mur, fit un saut de l'ange vers ma lampe torchère et s'agrippa aux ficelles décoratives qui en ornaient l'abat-jour. Il glissa ensuite le long du poteau et gagna le plancher. Il courut rapidement vers mon fauteuil, qu'il escalada en moins de deux avant de s'installer sur l'accotoir.

— Tu vois, je n'aurais jamais cru cela de toi! l'informai-je d'un ton neutre, camouflant mon ébahissement devant tant d'agilité.

Le petit homme s'approcha doucement de moi.

— Noël? me demanda-t-il en me fixant.

Il me parlait! J'avais perdu tout espoir de le retrouver quelques instants plus tôt et voilà qu'il était revenu et qu'il me parlait après des semaines de mutisme! Ne voulant point rater cette chance inouïe de créer un lien avec lui, je pris le temps de me calmer avant de répondre à sa question.

— Noël est une fête où tous les membres d'une famille se réunissent pour s'amuser. Ils dansent et rient ensemble.

Ma gorge se noua soudainement.

— Par contre, il y a des gens, comme moi, pour qui Noël est la pire soirée de l'année, puisque nous sommes seuls, seuls à déprimer.

À cette explication, une vague d'amertume m'envahit littéralement. Plongé dans mon désarroi, je sentis quelque chose toucher mon bras. Je vis alors le petit homme qui m'agrippait et qui semblait vouloir me réconforter. *Comme c'est gentil !*

— Mais cette année, je ne suis pas seul ! Alors, préparons un bon souper et fêtons comme s'il n'y avait pas de lendemain ! lançai-je en quittant mon fauteuil.

Une fine neige tombait sur ma propriété, créant une douce atmosphère, digne de mes souvenirs d'enfant. Je sortis du four la dinde qui cuisait lentement depuis la matinée, concoctai une sauce aux atocas, pilai les patates et, finalement, préparai une salade vinaigrée. C'était un repas digne du réveillon. Je déménageai la table près du foyer et le petit homme vint m'y rejoindre. Je vivais un moment extraordinaire avec mon invité. Nous étions complices pour la première fois depuis près de deux mois.

— À table ! annonçai-je en transportant les assiettes.

— Bon appétit ! me souhaita-t-il en recevant son plat.

Une douce musique compléta l'ambiance féerique et nous dégustâmes tranquillement notre festin. Mon invité fit honneur à mon repas en engloutissant toute sa part, exception faite de la dinde. Je lui fis ensuite le récit de mes péripéties à l'épicerie avec le camelot et lui racontai mes Noëls d'antan avec mes défunts parents. Après avoir vidé quelques coupes de vin, je lui chantai même des cantiques ! Le plaisir était indéniablement au rendez-vous, un plaisir que je croyais disparu à jamais en cette date magique. *Joyeux Noël, petit homme !*

— Il est mort…

Ces mots me tirèrent de mon sommeil. Je m'étais endormi sur le fauteuil du salon, totalement épuisé par les festivités de la veille. Encore désorienté, je jetai un coup d'œil vers la fenêtre où se trouvait le petit homme. *Est-ce lui qui a parlé ?* Il fixait l'horizon, immobile. Peut-être n'avait-il rien dit, peut-être m'étais-je même carrément imaginé cet enchaînement de sons. D'ailleurs, jamais le petit homme n'avait prononcé une véritable phrase.

— Mon ami, il est mort ? répéta-t-il en se tournant vers moi.

C'était donc bel et bien lui qui avait parlé ! Toutefois, je réalisai tout aussi rapidement la peine qu'il semblait ressentir. Je pris un ton empathique avant de lui répondre :

— L'oiseau, c'est bien cela ?

Il fixait toujours le paysage à travers la fenêtre. On aurait dit qu'il avait deviné le sort malheureux de son ami ailé. Je le laissai quelques minutes à lui-même. Je devais retenir toutes les questions qui me venaient aux lèvres. Mon invité, je ne pouvais plus en douter, maîtrisait suffisamment notre langue pour s'exprimer s'il en avait envie et, apparemment, ce n'était pas le cas pour l'instant.

Je respectai donc le silence du petit homme et le laissai seul durant tout l'avant-midi en espérant toutefois entamer une conversation avec lui sous peu. Hélas, la créature demeura muette.

Vers midi, je fis réchauffer des restes de la veille. Puis, j'allai au-devant de mon invité.

— Surprise! m'exclamai-je en lui remettant un minuscule paquet que je venais d'emballer discrètement.

Il me regarda en se demandant ce que cela pouvait bien signifier.

— Euh… C'est un cadeau! Le jour de Noël, ma famille et moi, nous nous donnions des cadeaux. C'est la tradition.

— Des cadeaux? Pourquoi?

— Pour faire plaisir, tout bonnement!

Le petit homme tâta le paquet. Je lui fis alors signe de le déballer. Il s'exécuta aussitôt, poussé par la curiosité et l'excitation.

— C'est du duvet de canard, celui de mon oreiller, Étant donné que j'ai découpé ton vêtement, je me suis dit que tu pourrais t'en faire un autre avec ce duvet…

Ses yeux étaient pleins de gratitude. J'en fus touché. Il comprit alors qu'il devait m'offrir, lui aussi, un présent qu'il n'avait pas.

— Laisse! Tu ne pouvais pas savoir! lui dis-je en riant.

Il s'approcha alors de moi pour me faire le plus beau cadeau de Noël que je n'aurais jamais osé espérer, un cadeau sans prix, un cadeau qui allait durer toute la vie.

— Je me nomme Ectar et je t'offre mon amitié, me dit-il tout simplement.

J'étais si ému qu'Ectar crut avoir fait une bêtise. Je le rassurai. Tout allait bien et son présent valait beaucoup plus que du duvet de canard! Il rit à son tour.

Durant l'après-midi, j'allai pelleter mon entrée, corvée que je repoussais depuis trop longtemps. Alors que je me démenais à ouvrir un chemin bien droit, mon nouvel ami demeuré à l'intérieur s'évertuait à transformer son tas de duvet en un vêtement solidement tissé. Barbe par barbe, il tressait le tout avec minutie.

Une fois ma besogne terminée, j'entrai dans la maison, en sueur, et mis mon manteau à sécher près du feu toujours allumé. Sur le rebord de la fenêtre, Ectar achevait son œuvre et je pris quelques notes sur sa technique aussi complexe que celle utilisée par les Aztèques qui confectionnaient couronnes et parures royales à partir du plumage des quetzals.

— Et tu porteras ce vêtement toute l'année? l'interrompis-je.

— Seulement par temps froids. Ce duvet est très chaud, me répondit-il en restant concentré.

— Ah… Et il sera résistant?

— Plus que le précédent.

— Et comment nommes-tu un tel habit?

Il leva alors les yeux vers moi.

— Un chandail…

Évidemment! Il termina son chandail presque au même instant et me le montra fièrement. Je le trouvai particulièrement laid puisqu'il ne ressemblait à rien, sinon à un tas de duvet. Ectar s'empressa néanmoins de l'enfiler. Il tourna sur lui-même pour me permettre d'admirer sa création sous tous les angles.

— Il est impeccable, mieux que mon ancien! dit-il en contemplant son travail avec satisfaction.

— Ça semble chaud, répondis-je en me grattant la tête.

Ainsi vêtu, Ectar n'avait plus vraiment l'air d'un petit homme. Le duvet blanchâtre de mon oreiller lui donnait plutôt l'apparence d'un animal, ce qui devait probablement être voulu. Dans la neige, son habit le camouflerait à merveille.

— Allons l'étrenner dehors ! annonça-t-il en sautant du rebord de la fenêtre.

J'enfilai de nouveau mon manteau encore humide et nous allâmes à l'extérieur où le thermomètre indiquait environ moins dix degrés Celsius. Ectar se mit aussitôt à courir dans la neige. Il était si léger qu'il ne s'y enfonçait guère.

— C'est le parfait confort ! me cria-t-il en sautant parmi les flocons.

Il n'était pas sorti depuis des semaines et je le regardai patiemment dégourdir ses petites jambes. À mon grand soulagement, il ne semblait pas vouloir se sauver. Il ne s'éloignait pas de ma propriété. Je l'étudiais discrètement. Il était vif comme l'éclair tout en étant gracieux.

Au bout d'une quinzaine de minutes, fatigué par ses exercices, il revint vers moi en marchant. Le voir évoluer sous le ciel d'un bleu limpide était extraordinaire, surtout avec le harfang des neiges qui volait au-dessus du champ. Suivant mon regard, Ectar jeta un coup d'œil au firmament et aperçut le volatile. Le petit homme prit immédiatement ses jambes à son cou, mais le harfang plongeait déjà dans sa direction. Grâce à sa vue perçante, le rapace n'avait eu aucune difficulté à repérer mon ami malgré sa tenue de camouflage. *Oh non ! Il va se faire attraper !*

— Ectar ! Attention ! m'époumonai-je en fonçant vers lui et en tentant d'effrayer l'oiseau avec de grands gestes.

Le petit homme fuyait aussi vite qu'il le pouvait, mais l'oiseau fondait sur lui et allait bientôt l'attraper ! Nous étions à cinq mètres l'un de l'autre lorsque le pire survint. Le harfang se rua sur Ectar, projeté au sol.

— Ectar ! Ectar ! criai-je encore avec effroi.

La neige vola dans tous les sens, créant un nuage opaque. J'arrivai enfin sur les lieux de la bataille, mais l'oiseau partit au même instant. Ectar n'était plus là. *Il l'a eu !* Je levai alors les yeux vers le ciel, vers le harfang des neiges maudit.

En altitude, à mon grand étonnement, le vol de l'animal devint erratique. La confrontation n'était donc pas terminée et Ectar luttait pour sa survie. Je me cachai du soleil avec la main pour mieux voir. Ectar était vivant ! Je le vis même réussir à se défaire des serres du prédateur. Il escaladait maintenant le flanc de l'animal qui essayait toujours de le meurtrir de son bec.

Ectar gagna difficilement le dos de son agresseur. Ce dernier prit tout à coup de l'altitude. Ce que je vis ensuite me glaça le sang. *Il est tombé !* Ectar devait avoir perdu pied et je le voyais plonger en vrille vers le sol où la mort l'attendait inévitablement.

— Non ! Non ! criai-je en me tenant la tête.

Mais alors qu'il n'était qu'à une dizaine de mètres du champ, mon ami déploya deux petites ailes qui freinèrent radicalement sa chute. *Il peut voler ?* Dès qu'il eut mis pied à terre, il fila dans ma direction. Je me précipitai également à sa rencontre.

— Ectar ! Ça va ? Tu n'es pas blessé ? lui demandai-je aussitôt.

Je vis qu'il tenait dans ses mains deux plumes, deux plumes de harfang ! Il les avait arrachées avant de se lancer dans le vide.

— Je ne l'avais vraiment pas vu venir, celui-là ! répondit mon ami en souriant et en jetant ses ailes improvisées au sol.

52

— J'ai tellement eu peur pour toi !

— T'inquiète ! Il ne savait pas à qui il avait affaire !

Nous étions si différents ! Nos réactions réciproques relevaient du plus pur antagonisme. Tandis que j'étais encore secoué par les événements épouvantables auxquels je venais d'assister, Ectar me livrait, l'air badin, tous les détails de sa mésaventure qu'il trouvait plutôt divertissante.

Ainsi, nous rentrâmes à la maison alors que le harfang des neiges quittait les lieux le ventre vide.

Chapitre 4

Début janvier
Mauricie

Quelques jours plus tard, on cogna à ma porte. Ectar se dissimula entre les coussins du canapé et j'allai ouvrir.

— Ah ! C'est toi ! dis-je, agacé. Tu es matinal.

Le jeune camelot me fit un sourire sardonique avant de me présenter la facture que je devais acquitter. Il semblait frigorifié. Je l'invitai donc à entrer pendant que j'allais chercher mon chéquier.

— Vous n'avez pas la somme en argent comptant ? me demanda-t-il.

— Euh…, non ! répondis-je en me retournant. Un chèque fera l'affaire…

— Tout le monde a de l'argent comptant chez soi…

— Pas moi ! Un camelot m'a tout pris la dernière fois.

— N'oubliez pas que j'ai déduit le vingt-cinq sous du transport ! s'empressa-t-il de m'informer.

Il me regardait attentivement alors que je m'approchais de lui, chéquier à la main.

— À quel ordre dois-je le faire ? Au journal ou à ton patron ? le questionnai-je.

— À moi.

— Mais encore…, soupirai-je, impatient d'en finir avec cet effronté.

— Faites-le à l'ordre d'Edward Petitgroulx, précisa-t-il.

— Edward ? Tu es beaucoup trop jeune pour avoir un prénom semblable ! Mon grand-père s'appelait Edward…

— Votre grand-père ? Pour de vrai ?

— Oui, mon gr…

Je m'interrompis sur-le-champ. Sans crier gare, le jeune camelot venait de me bousculer et de se faufiler prestement vers la table à café où Ectar était assis sur une revue.

L'enfant était médusé :

— Qu'est-ce que c'est ? Un rat exotique ?

— Ce n'est rien du tout, dis-je en l'attrapant par le collet. Allons ! Ta mère ne t'a donc pas appris qu'il est impoli d'entrer chez les gens comme ça !

Au fond de moi-même, je savais qu'il était trop tard pour faire une leçon de morale à Edward. Le camelot avait découvert mon secret. *Seigneur, il va tout dévoiler !*

— Qu'est-ce que c'est ? demanda-t-il de nouveau.

— Ce n'est pas de tes affaires ! Fiche le camp ! ordonnai-je en le tirant par la manche.

Inconscient des enjeux de cette dispute, Ectar se leva et se dirigea vers le bout de la table du salon pour mieux voir la scène.

— Il ressemble à un nain ! C'est un nain ? C'est bien cela ? continua le gamin alors que j'étais sur le point de le jeter carrément hors de chez moi.

— Ça ne te regarde pas ! Oublie ce que tu viens de voir ! De toute manière, personne ne te croira ! ajoutai-je en le tirant vers la porte.

— Je suis un Marlot !

Un Marlot ? À ces mots, Edward se tut de surprise et je profitai de cette diversion pour le pousser dehors une fois pour toutes. Je fermai la porte au nez du jeune curieux.

— Pourquoi n'es-tu pas resté caché ? Il révélera tout sur ton existence !

— Et alors ? répondit Ectar sans comprendre mes inquiétudes.

— Et alors ? Certains voudront te prendre pour te mettre dans une cage, pour t'étudier ! Voilà tout !

— N'est-ce pas ce que tu as fait ? me dit-il en me fixant.

— C'est différent ! Moi, j'ai toujours voulu ton bien ! me défendis-je.

Ectar ne renchérit pas et se tourna plutôt vers la fenêtre du salon. Le nez écrasé contre la vitre, Edward nous observait, stupéfait. *Encore lui !*

Il gratta les carreaux.

— Laissez-moi entrer ! Je ne dirai rien ! me promit-il.

Je ne savais vraiment plus quoi faire. Je jetai un coup d'œil vers Ectar qui ne semblait pas le moins du monde dérangé par la présence du camelot. Je pris quelques secondes pour réfléchir et me résignai finalement à faire signe au gamin de revenir.

Je le perdis aussitôt de vue et j'ouvris la porte.

— Tu es mieux de ne pas bavasser ! l'avertis-je.

— Promis ! Promis ! débita-t-il tout en enlevant son manteau.

Il jeta sans gêne son vêtement par terre et fonça directement au salon. Ectar était maintenant près de la fenêtre.

— Tu es donc un Marlot, s'enquit le gamin en s'assoyant près du petit homme.

— Oui ! répondit-il fièrement.

Je ne pus m'empêcher d'admirer avec quelle facilité Edward acceptait l'existence d'Ectar. Malgré son sale caractère, la capacité d'émerveillement et la naïveté de cet enfant étaient émouvantes. En outre, tout comme lui, je m'interrogeais sur ce que je venais d'entendre. *Ectar le Marlot...* Ça sonnait quand même bien.

Je pris place dans mon fauteuil favori, conscient que les confidences d'Ectar ne pouvaient être forcées, mais espérant tout de même en apprendre plus.

— Il est ici depuis longtemps ? me demanda Edward.

— Bientôt deux mois… Il est arrivé par accident…

— Et il parlait déjà ?

— Pas vraiment ! dis-je en faisant allusion à la longue période de silence de mon invité.

— Je devais d'abord m'assurer que les intentions de Robert à mon égard étaient bel et bien pacifiques. Qui aurait envie de discuter avec un bourreau ? se justifia Ectar.

Edward était tout simplement émerveillé devant le petit homme, ou plutôt le Marlot. Ses yeux pétillaient face à cette créature intelligente et inconnue de tous. J'espérais ardemment que cela reste ainsi.

Ces derniers temps, j'avais beaucoup réfléchi à la possibilité de partager ma découverte avec le monde scientifique.

Évidemment, je savais que j'y gagnerais une célébrité instantanée. Toutefois, j'avais pris la décision de garder secrète l'existence d'Ectar. Tout au long de ma carrière, j'avais étudié des civilisations disparues. Tomber sur le représentant bien vivant d'une culture inconnue était une chance inouïe. Je voulais percer ce mystère à ma manière et, pour

une fois, le faire sans me limiter à l'étude de squelettes ou d'artefacts.

— Et tu es le seul de ton espèce ? poursuivit Edward, assis en tailleur devant Ectar.

Sans doute touché par la candeur et la spontanéité du gamin, le petit homme habituellement discret répondit.

— Non, non ! Nous sommes nombreux ! Notre communauté comprend plusieurs centaines d'individus !

— Plusieurs centaines ? répétai-je, stupéfait.

— Oui ! Ils me manquent d'ailleurs terriblement…

— C'est normal, mais dès que tu iras mieux, tu pourras aller les rejoindre !

Je ne pensais pas réellement ces mots que je venais de prononcer. Je n'avais même jamais vraiment envisagé le départ d'Ectar. Ne pas révéler son existence était une chose, mais le laisser partir librement et probablement ne plus jamais le revoir en était une autre !

— Il me faudra plus que prendre du mieux. Je ne peux pas m'en aller à pied. La distance que je dois franchir est beaucoup

trop grande. Lorsque j'avais mon ami, ce n'était pas un problème, mais maintenant…

— Ton ami ? s'enquit l'enfant.

Sachant la tristesse qu'avait éprouvée Ectar en apprenant la mort de son oiseau, je fis signe à Edward de ne pas insister. Étonnamment, mon camelot comprit et changea de sujet.

— Tu parlais d'une longue distance à franchir… Tu parlais bien de rentrer chez toi ? enchaîna-t-il.

— Chez moi ? Non, pas tout de suite ! Je suis en mission. Une mission de la plus haute importance. La survie de mon peuple dépend de mon succès.

Cette dernière phrase m'intrigua au plus haut point. Une mission dont le but était de sauver tout son peuple ?

— Ma monture et moi allions à la rencontre de la Lignée Royale pour lui demander de l'aide, une aide qu'elle seule peut nous apporter. C'est pour cette raison que j'avais décidé de braver la tempête. Je voulais gagner du temps. Peut-être aurais-je dû être plus patient…

— La Lignée Royale ? répétai-je aussitôt, prenant Edward de vitesse.

— Oui. Un accord commun nous liant depuis des milliers de saisons stipule que si l'un de nos deux peuples s'avère être en danger, l'autre doit venir lui prêter assistance pour combattre le mal. Or, les Marlots sont en danger et, isolés, nous ne pouvons rien contre *eux*!

— Je ne saisis pas très bien... Qui sont ceux que tu appelles *eux*? Qui sont-ils pour mettre ton peuple en danger?

Toutes ces questions plongèrent Ectar dans ses pensées. Il se retourna tranquillement vers la fenêtre pour scruter l'horizon. Persuadé que j'avais fait une bêtise, Edward me dévisagea avec un air accusateur. Je lui lançai derechef un regard qui voulait dire : *Quoi? Comment aurais-je pu savoir?* Au bout de quelques secondes, Ectar reprit enfin la parole.

— Les Trojas! Ce sont eux qui menacent mon royaume! Nous les avons fuis il y a mille saisons, mais ils nous ont retrouvés et nous sommes aujourd'hui en grand danger! déclara Ectar d'un ton inquiet.

— Les Trojas? Si je comprends bien, ils pourraient être en train d'attaquer ton

royaume en ce moment ? dit Edward tout en recevant de ma part une petite tape derrière la tête.

— Non, car la neige a recouvert le sol. L'hiver marque le début de leur hibernation, mais dès le retour du printemps, ils passeront inévitablement à l'attaque ! D'ici là, je dois absolument trouver une nouvelle monture pour aller à la rencontre de la Lignée Royale afin de lui demander de l'aide !

Les traits de mon ami Ectar étaient déformés par la peur et le désespoir. Il était investi d'une mission de la plus haute importance. Je réalisai subitement que le jour où il avait consenti à se nourrir était celui de la première bordée de neige. Ectar avait alors sans doute compris qu'il bénéficiait d'un répit jusqu'au printemps, saison où les Trojas, créatures dont j'ignorais encore tout, allaient détruire son peuple, sa civilisation ! Ectar ne s'était donc pas réfugié chez moi pour oublier les siens, il avait toujours compté aller les secourir.

— Ils ont envoyé un héros, Robert ! me lança Edward en me rejoignant dans la cuisine. Ils ont envoyé le meilleur dans l'espoir qu'il les sauve ! Tu réalises ?

Cette supposition de la part d'Edward fit naître un sentiment étrange en moi. Je devais faire en sorte qu'Ectar accomplisse son destin. Je ne pouvais pas le garder auprès de moi et être la cause du malheur de son peuple. Il me fallait l'aider à se remettre sur pied pour qu'il aille à la rencontre de cette Lignée Royale. Sinon, toute sa civilisation disparaîtrait et mon rêve de percer son mystère du même coup!

Chapitre 5

Quelques mois plus tôt
Contrée marlotte

Les derniers jours d'octobre filaient alors que des éclaireurs marlots parcouraient le ciel sans relâche sur leurs montures ailées : des moineaux apprivoisés. Ces cavaliers volants devaient dénicher de la nourriture destinée au stockage hivernal. Leur tâche était simple : localiser des végétaux pouvant être cueillis et abattre des proies au sol. Des cueilleurs étaient ensuite chargés de collecter le tout.

Les noix et les insectes étaient les denrées les plus prisées en ce moment de l'année et constituaient les principales sources de protéines dans l'alimentation des Marlots. Reste que les fruits étaient bienvenus quand ils étaient disponibles, ce qui n'était plus le cas depuis plusieurs semaines.

Ectar menait les éclaireurs. C'était son aptitude hors du commun à contrôler sa monture qui lui avait permis d'accéder à ce poste dès le début de l'été.

Les cinq moineaux des éclaireurs volaient tour à tour au-dessus de la cime des arbres et le long des étendues d'eau. Ectar plongea tout à coup vers le sol et le reste de la bande le suivit sans se poser de questions. Ayant repéré des vers de terre près d'une mare de boue, Ectar fit signe aux autres de se préparer à attaquer. Les moineaux filèrent à toute vitesse.

Simultanément, les éclaireurs sautèrent de leur monture en vol. Le premier par terre, Ectar fit quelques roulades contrôlées qui le menèrent rapidement sur sa proie. Un autre éclaireur, Guliaf, rattrapa un lombric qui tentait de prendre la fuite dans son souterrain. Tous les éclaireurs étaient en chasse.

L'opération ne dura que quelques secondes à peine, mais les cinq Marlots purent tout de même capturer une douzaine de vers de terre, un mets très recherché.

— On emballe tout et on quitte les lieux, mes amis ! ordonna Ectar à ses hommes

couverts de boue et essoufflés par leur aventure.

Les moineaux revinrent d'eux-mêmes auprès de leur maître. Les carcasses de vers furent alors placées dans des sacs accrochés sur les flancs des oiseaux. Ectar monta sur le dos de son destrier ailé et le groupe s'envola en direction des cueilleurs pour leur remettre le butin.

— Des vers… Intéressant ! fit le responsable des cueilleurs, un éclaireur à la retraite. Par contre, dans mon temps, on en aurait ramené deux fois plus !

— Deux fois plus ? répliqua aussitôt Guliaf. Avec vos techniques désuètes ? Deux fois plus de boue sur vos vêtements, voilà ce que vous auriez ramené !

— C'est encore plus de boue que tu veux sur tes propres vêtements ? C'est ça ? répondit le vétéran en se relevant les manches, vexé.

Ectar sépara les deux Marlots.

— Bon, c'est assez ! C'est fini ! déclara-t-il d'un ton faussement sévère.

— Tu es chanceux, cette fois-ci ! Va ! lança Guliaf avant de tourner le dos au chef des cueilleurs.

Les deux éclaireurs se dirigèrent tranquillement vers leurs montures.

— J'ai eu peur que tu n'interviennes jamais ! Il est bien plus fort que moi, celui-là ! dit Guliaf comme s'il essayait de convaincre son sauveur. Au moins, elle m'a vu ? Hein ?

— Ah oui… Et elle était très impressionnée par ton jeu…, l'assura Ectar qui n'attachait aucune importance à l'événement.

— Génial ! s'exclama Guliaf en jetant un coup d'œil par-dessus son épaule en direction de celle qui l'obsédait tant.

Depuis son plus jeune âge, Daïa faisait partie des soldats. C'est bien malgré elle qu'on l'avait momentanément assignée à la cueillette. Daïa était habituée à des aventures beaucoup plus excitantes que sa corvée actuelle. Elle se trouvait réellement privilégiée d'avoir intégré le corps militaire au sein duquel elle s'entraînait sans répit dans le but de protéger la cité contre toute attaque ennemie.

Pour devenir soldats, les jeunes Marlots devaient subir des tests alors qu'ils n'étaient âgés que d'une dizaine de saisons. À la lumière des résultats, les hauts gradés choisissaient les candidats ayant le meilleur potentiel. En principe, un Marlot ainsi sélectionné jouissait d'une exemption de corvée lui permettant de se consacrer entièrement au maniement des armes afin de pouvoir un jour, au besoin, défendre la colonie contre les Trojas et autres prédateurs.

Daïa se souvenait encore de son incorporation officielle. Quelle fierté cela avait été pour ses parents ! Leur jeune fille d'à peine douze saisons allait faire honneur à sa famille en devenant une protectrice de la cité ! Le père de Daïa n'avait pas pu retenir ses larmes en apprenant la nouvelle.

— Vous êtes l'élite de notre peuple ! On vous a choisis pour le protéger, alors entraînez-vous pour en être dignes ! avait annoncé l'instructeur de l'époque aux six recrues de cette année-là, rassemblées dans la cour de la caserne.

À ces mots, Daïa s'était sentie respectée et estimée. Elle s'était juré de tout faire pour devenir la meilleure.

Ce jour-là, elle avait su toute la vérité sur les Trojas. Depuis son plus jeune âge, on lui avait appris à craindre ces créatures diaboliques.

— Ils sont plus grands que nous, plus forts, et sont d'infatigables guerriers. Ils combattent à mains nues et sont sans pitié ! avait dit sèchement l'instructeur. Des démons de la pire espèce, voilà ce qu'ils sont !

Daïa avait alors levé timidement la main pour formuler un commentaire d'une voix chevrotante :

— Mais, il s'agit d'une menace très ancienne, n'est-ce pas ?

— En effet ! avait aussitôt répondu l'instructeur. Près d'un millier de saisons sont passées depuis la dernière attaque des Trojas. Toutefois, rien ne prouve leur extinction. Ils pourraient revenir à tout instant et c'est pour cette raison que l'armée existe. Nous avons failli être exterminés par eux, alors dites-vous bien ceci : si les Trojas reviennent, il faudra être prêts ! Entraînez-vous en gardant cette pensée en tête, car vous serez peut-être appelés, un jour, à défendre la cité contre ces créatures immondes !

Créatures immondes... Daïa avait mémorisé ces paroles de son instructeur.

Depuis, elle était habitée par le malheureux pressentiment qu'elle devrait un jour combattre les Trojas. Pour cette raison, elle s'exerçait sans relâche à l'art de la guerre. Reste que, exceptionnellement, elle se consacrait aujourd'hui aux sacs pleins de vers de terre qu'elle devait rapporter à la cité. Alors qu'elle chargeait un chariot, les éclaireurs passèrent à toute vitesse au-dessus de sa tête en direction de la cité marlotte.

De son moineau, Guliaf faisait la conversation à Ectar. Il lui répétait combien il avait en affection sa chère guerrière.

— Si j'avais pu entrer dans l'armée, dit Guliaf, elle serait déjà ma fiancée.

Ectar se contenta d'acquiescer, connaissant d'avance la suite. Effectivement, comme d'habitude, Guliaf se promit de parler à Daïa dès le soir venu. *Et tu n'oseras pas le faire, encore une fois,* soupira Ectar en lui-même.

— Enfin chez soi ! se réjouit le chef des éclaireurs en voyant apparaître une falaise escarpée surplombant un lac de la région.

On accédait à la cité marlotte, qui ne portait d'ailleurs aucun nom, par cette falaise vertigineuse. Un puits de lumière se trouvait au sommet de l'ensemble rocheux, mais il était beaucoup trop dangereux d'y pénétrer. Il fallait donc entrer dans la cité en faisant atterrir sa monture sur un vieil arbre ayant poussé à même la falaise et ensuite la traîner dans une fissure traversant la paroi.

— Il déteste ce passage étroit ! lança Guliaf en tentant de calmer son moineau claustrophobe.

— Tais-toi et avance ! On va manquer la fête ! lui répondit un autre éclaireur impatient d'arriver chez lui.

Le corridor sinueux, long de deux mètres, était semblable à une meurtrière traversant une forteresse imprenable. Après s'être éraflé les coudes sur les aspérités des murs de pierre, les éclaireurs parvinrent enfin à la cité marlotte, le chef-d'œuvre des Marlots, comme plusieurs le disaient.

La ville avait été construite plus de mille saisons auparavant dans une cavité naturelle de la montagne. Les Marlots, virtuoses du pic et de la masse, y avaient sculpté une cité symétrique semblable à un amphithéâtre. En effet, les demeures creusées à même le roc débouchaient sur de larges balcons circulaires et étaient disposées sur plusieurs étages faisant cercle autour d'une place centrale. Des plantes grimpantes, cultivées pour leur sève et leur nectar, y prenaient racine et s'élevaient en s'accrochant aux différents éléments architecturaux. Sur la place centrale se trouvait aussi le palais de la reine. C'était à cet endroit que toutes les grandes décisions étaient prises.

— Il y a de l'activité ici ! dit Guliaf en voyant de nombreux Marlots affairés à organiser un banquet dans l'aire centrale.

— J'en connais qui auront le ventre plein ce soir ! répondit Ectar en voyant passer près de lui un cuisinier transportant un plateau chargé de mets appétissants.

Couverts de boue, les éclaireurs rame- nèrent leur monture au moinier en chef, Olef. Le perchoir des vaillants moineaux était situé tout juste au-dessus de l'entrée de la cité. Les moiniers y veillaient au bien- être de ces oiseaux indispensables pour la communauté.

— Marre, marre, marre ! Il existe d'autres insectes moins salissants à chasser que les vers ! Avez-vous pensé aux araignées ? Nous en aurons pour le reste de la journée à nettoyer vos montures !

— Olef, ne peux-tu te réjouir de notre retour ? Nous avons risqué notre peau pour que tu aies quelque chose à te mettre sous la dent cet hiver ! répondit Guliaf en prenant le moinier par les épaules.

— Ta peau ? Tu n'as même pas une égratignure ! Si tu étais blessé, tu ne songerais pas à dire toutes ces âneries ! Si seulement…

Olef s'écarta de Guliaf et agrippa un moineau pour aller le placer sur sa perche habituelle. Le pauvre moinier aurait voulu se préparer pour la fête, mais il était maintenant contraint de faire la toilette des montures des éclaireurs. Par ailleurs, Olef détestait voir ses oiseaux ainsi souillés. Cela le rendait irritable.

— Et toi, tu ne dis rien ? Tu devrais pourtant me comprendre ! Tu as travaillé durant toute ta jeunesse dans ce perchoir ! Les moineaux sont délicats. Il faut en prendre soin ! continua Olef en s'adressant à Ectar jusqu'alors silencieux.

— Tu as tout à fait raison, Olef, mais le temps où je me chargeais d'eux est révolu.

Ma nouvelle tâche ne me laisse pas le loisir de me soucier de la propreté des montures. Les choses ont toujours été ainsi.

— C'est lui qui t'a rendu comme ça? ronchonna Olef en pointant Guliaf, bien accoté contre le mur, l'air goguenard. Ah! Ces éclaireurs, ils deviennent tous pareils! finit-il en retournant à son ouvrage.

Ectar avait effectivement été moinier, sous les ordres d'Olef, jusqu'à l'âge de seize saisons. Excellent pédagogue, Olef lui avait tout appris sur les créatures volantes. D'ailleurs, très vite, le disciple avait dépassé son maître. Aussi, avec le temps, Ectar avait été pressenti pour le poste d'éclaireur. Son premier vol d'essai avait pourtant été catastrophique et jamais il n'aurait cru réussir.

— C'est simple. Tu t'installes à genoux sur le dos du moineau en t'efforçant de ne pas lui faire mal, sinon il te fera tomber en moins de deux. Ensuite, tu t'agrippes solidement au duvet se trouvant à la base de la nuque de ta monture. Seule la force de tes mains te retiendra pendant le vol, avait expliqué l'instructeur.

— Mais je risque de me casser le cou si je dégringole en plein vol ! s'était exclamé Ectar.

— Allons donc, tu as maintenant douze saisons, tu es assez costaud pour te tenir sur un moineau ! Va ! avait répliqué l'instructeur en tapant le flanc de l'oiseau sur lequel Ectar venait de prendre place.

Le volatile avait aussitôt décollé de la petite clairière et filé à toute vitesse entre les arbres. Ectar avait eu de la difficulté à contrôler sa monture et à ne pas lâcher prise. Au-dessus du lac, le moineau avait exécuté une manœuvre brusque qui avait fait basculer son cavalier. Ectar avait plongé dans l'eau. Il avait toutefois réussi à revenir seul sur la berge. L'instructeur l'avait alors rejoint, choqué par le spectacle.

— Pauvre fou ! Il fallait mieux te cramponner. Tu aurais pu te tuer ! avait-il crié en se remettant de ses émotions.

— C'est beaucoup trop difficile ! Je ne serai jamais capable de conduire un moineau ! avait répondu Ectar, la mine basse.

L'instructeur fit semblant de n'avoir rien entendu et aida son élève à se relever alors que le moineau revenait vers eux.

— Tu remontes ! avait ordonné l'instructeur à Ectar.

— Quoi ? Tu ne m'as pas vu m'écraser ? La prochaine fois, je n'aurai peut-être pas la chance d'être au-dessus du lac !

— Les chutes servent à apprendre à mieux se relever. Et arrête de me faire perdre mon temps en te lamentant ! Tu as la possibilité d'exercer le plus beau métier du monde et tu crains de manquer de chance ? Ta chance, tu la vis présentement !

Ce discours avait redonné courage au jeune élève qui avait repris place sur son animal. Un peu plus confiant, Ectar donna le signal du départ à la bête. Ce second vol s'était beaucoup mieux passé que le premier et l'instructeur avait été très fier de sa recrue.

— Éclaireur ? Pour de vrai ? s'était exclamé Olef plusieurs saisons plus tard.

— Eh oui ! Je l'ai appris ce matin ! Je n'en reviens tout simplement pas ! Ils disent que je suis le plus jeune à avoir terminé la formation !

— Ha ! Ha ! Je suis si content pour toi ! s'était enthousiasmé Olef tout en serrant son ami dans ses bras.

79

Ce moment de joie avait été empreint de tristesse pour le moinier en chef qui avait ainsi perdu son bras droit. Olef avait tout de suite su que ses journées de travail ne seraient plus les mêmes sans Ectar à ses côtés.

Chapitre 6

Janvier
Mauricie

— Tu ne vas donc jamais à l'école ? demandai-je à Edward dans l'encadrement de ma porte.

— Non… Ce sont les vacances de Noël ! rétorqua-t-il en enlevant déjà son manteau.

— On peut dire que ton école sait fêter : nous sommes le dix janvier !

Edward ne comprit nullement ma blague – il n'en prit même pas la peine – et se dirigea vers le salon pour retrouver son nouvel ami. Il eut même le culot de s'asseoir dans mon fauteuil favori, siège que je me réservais chaque fois qu'il se pointait chez moi à l'improviste.

— Il est laid, mais il est plutôt *confo* ! me lança-t-il en se tortillant sur le coussin.

— Heureux de te l'entendre dire, répondis-je d'un ton désabusé tout en me cherchant une chaise.

Depuis près de deux semaines, dès le lever du jour, j'entendais mon camelot cogner fermement à la porte, s'assurant ainsi de me tirer de mon sommeil. Je la lui ouvrais et il se précipitait invariablement vers Ectar qui flânait la plupart du temps près du foyer. La suite était, par contre, toujours surprenante, car Ectar avait entrepris de nous livrer son histoire, celle de son peuple.

Éclaireurs, soldats, moiniers… Edward et moi commencions à en savoir long sur l'origine extraordinaire de notre invité-surprise. Ectar aimait raconter d'où il venait et il mettait tellement d'émotions dans ses récits que nous ne pouvions nous retenir de rigoler et, parfois, de nous apitoyer avec lui. La narration de son premier vol en moineau avait été mémorable puisqu'en nous la faisant, il avait pris la peine de mimer sa chute dans le lac en se jetant du rebord de la fenêtre dans un verre d'eau se trouvant sur le plancher. Edward en avait ri aux larmes. Nourri de ses encouragements, Ectar avait sauté trois autres fois.

— Pourquoi n'utilisez-vous pas vos épées contre ces Trojas ? demandait ce matin Edward pour entamer la conversation.

— Leur peau, paraît-il, est épaisse comme du cuir. Nous ne sommes pas assez forts pour la transpercer, répondit le petit homme en brandissant un cure-dent dans les airs.

— Alors, comment vous défendez-vous contre eux si vous ne pouvez pas vous servir de vos épées ? demandai-je à mon tour.

— Dans le temps, les anciens tentaient de les immobiliser en employant des cordes, ou encore ils les ébouillantaient avec de l'eau. J'en connais peu sur les techniques de guerre, un membre de l'armée serait mieux placé pour vous en parler davantage. J'imagine que les méthodes ont dû évoluer…, nous expliqua-t-il du mieux qu'il le pouvait.

Je compris ainsi qu'Ectar n'était vraiment qu'un éclaireur et qu'il était loin d'être un soldat. Il n'aurait probablement que peu de chances de s'en sortir indemne s'il devait combattre un jour un de ces Trojas. J'interrogeai alors mon invité sur les soldats marlots.

— Seulement des hommes ? Non ! Tout individu peut devenir soldat. De grandes soldates ont marqué l'histoire de notre civilisation ! objecta Ectar.

— Je croyais que les hommes étaient préférés pour ces rôles physiques, voilà tout, me défendis-je.

— Aucunement ! Chaque être a des forces et des faiblesses, il faut seulement apprendre à exploiter les talents de chacun.

— Moi, je suis nul en mathématiques et on m'en inflige chaque jour ! protesta Edward.

— Vous êtes vraiment étranges, vous, les hommes ! Au lieu de développer les habiletés et talents naturels des vôtres, vous vous obligez tous à devenir des personnes que vous n'êtes pas en vous exerçant à des tâches qui ne vous conviennent pas.

Ectar nous expliqua alors à quoi ressemblait un soldat type. Ceux-ci avaient une légère armure tissée avec de l'écorce de bouleau. Cet uniforme leur permettait de se déplacer rapidement avec agilité et souplesse. À ce vêtement s'ajoutait un câble léger en matière végétale porté en bandoulière, et une épée tranchante, taillée dans un os, était accrochée à leur ceinture. Les dispositifs de camouflage étaient laissés à la discrétion de chaque soldat.

— Le câble en bandoulière sert à immobiliser les Trojas ? essayai-je de deviner.

— Effectivement. Les soldats le portent constamment, même s'ils ne l'utilisent qu'en de rares occasions, approuva Ectar.

— Donc, même si cela fait, comme tu le dis, mille saisons que vous n'avez pas vu de Trojas, vous vivez toujours dans la crainte d'en voir apparaître un ? avança Edward.

— Et avec raison ! Il y a mille saisons de cela, notre peuple a été assiégé dans l'ancienne cité marlotte. Ica, et quantité de braves ont péri. Nous avons presque connu l'annihilation. Les plus chanceux ont réussi à prendre la fuite pendant que des héros ont tout essayé pour couvrir leur départ. Les survivants ont alors marché jour et nuit sans s'arrêter jusqu'à ce qu'ils trouvent l'emplacement idéal pour construire la nouvelle cité. Depuis, nous sommes hantés par les événements tragiques du passé, précisa tristement Ectar.

— Mais il y a peut-être eu d'autres survivants qui n'ont pas réussi à trouver la nouvelle cité ? s'emporta Edward, enthousiaste.

— C'est ce que certains ont pensé, à l'époque. Aussi, des missions de sauvetage ont été lancées durant les mois qui ont suivi notre défaite. Mais les Trojas avaient détruit la ville entière et n'avaient rien laissé derrière eux. Nous ignorions ce que ces démons avaient fait après cela, jusqu'à tout récemment.

— Tout récemment ? dîmes-nous en chœur, Edward et moi.

Nous étions impatients d'entendre la suite, mais nous fûmes interrompus par le bruit d'une voiture qui s'avançait dans mon entrée mal déneigée. Elle faisait un boucan infernal, celui d'une courroie usée par trop de kilométrage. En regardant par la fenêtre, je vis qu'il s'agissait d'un vieux modèle américain que je devinais rongé par la rouille. Edward eut alors un instant de panique. Quelqu'un venait le chercher et il ne devait pas se trouver chez moi.

— Ma mère ! C'est ma mère ! Elle va me tuer ! cria-t-il en courant comme une poule sans tête.

— Pourquoi serait-elle fâchée ? m'enquis-je.

— Parce que je devrais être à l'école en ce moment ! Je savais qu'ils l'appelleraient ! Je le savais ! J'aurais dû…

— Quoi ? Tu m'as pourtant affirmé que tu étais toujours en vacances ! Tu m'as menti ! l'accusai-je en le montrant du doigt.

J'entendis la portière claquer et une personne monter fermement les marches de mon balcon. On cognait maintenant impatiemment à ma porte. J'ouvris et me trouvai face à face avec une femme visiblement furieuse. Avant même que j'aie le temps d'ouvrir la bouche, elle entrait dans la maison. *C'est de famille, cette manie !* Elle surprit alors son fils dans mon salon, planqué derrière mon fauteuil.

— Edward ! Sors de derrière cette horrible bergère ! Immédiatement ! ordonnat-elle d'un ton ferme qui ne laissait aucune place à la négociation.

Horrible bergère ? Après la remarque désobligeante du camelot à son égard, voilà que mon siège essuyait une autre insulte sur son apparence ! Edward sortit timidement de sa cachette en regardant le sol d'un air piteux et se dirigea à petits pas vers sa mère en colère. Elle commença aussitôt à lui faire un sermon interminable durant lequel il ne put placer un seul mot.

— C'est donc ici que tu flânes, ces derniers temps ? Ton grand-père avait raison ! tonna-t-elle en l'agrippant par le bras.

— Grand-papa t'a rapporté ça ? Il m'avait juré de ne pas en parler !

— De quoi ? De ta retraite chez un pur inconnu ? Et puis, qu'est-ce que vous faites ici tous les deux, seuls ? ajouta-t-elle en se tournant vers moi avec un regard accusateur.

— Ce n'est pas ce que vous croyez madame…, intervins-je, sentant la soupe chaude. J'ignorais qu'il vous cachait ses visites !

Elle prit le temps d'examiner la pièce, cherchant probablement quelque chose à me reprocher, mais elle ne trouva rien.

— Que faites-vous avec mon garçon pendant toute la journée ? Je pourrais appeler la police ! Je veux des explications, monsieur…

— Robert Neuville, madame, me présentai-je en la prenant de vitesse et en lui tendant la main.

— Euh… Anne Petitgroulx…, fit-elle, surprise, en serrant ma main.

Puis, reprenant contenance, elle gronda :

— Maintenant, répondez, monsieur !

J'ignorais comment la calmer. Je ne voulais pas mettre une nouvelle personne dans le secret que je conservais jalousement depuis des mois. Edward était le seul à savoir la vérité et c'était déjà trop, d'autant plus que je doutais de sa capacité à tenir sa langue.

— Que faites-vous avec mon garçon de dix ans, chez vous, alors que je ne vous connais même pas ?

— Rien de mal, soyez-en certaine, madame…

— Il m'enseigne plein de trucs intéressants sur l'histoire ! lança Edward en me regardant comme s'il avait trouvé l'échappatoire du siècle.

Elle dévisagea son garçon, incrédule. Elle connaissait son fils : il était loin d'être un passionné d'histoire.

— Robert est anthropologue et il a fait le tour du monde, tu réalises ? Il m'a raconté

89

son dernier voyage chez les Incas. Super intéressant !

Super intéressant ? Même moi, je ne croyais pas à ce mensonge prononcé sur un ton affecté. J'étais toutefois surpris qu'Edward ait retenu ce détail sur ma vie et mon travail, lui qui avait toujours manifesté un ennui mortel dès que j'avais osé effleurer le sujet. Toujours est-il que sa mère, de toute évidence, attendait une meilleure réponse de notre part.

— Trop, c'est trop ! Vous l'aurez cherché, j'appelle la police ! annonça-t-elle en décrochant le combiné du téléphone sur mon guéridon.

Ça y est, je suis dans le pétrin ! me dis-je.

Mais madame Petitgroulx ne signala pas le 9-1-1. Elle semblait soudainement concentrée sur autre chose. Elle s'empara d'un morceau de papier traînant près du téléphone et se tourna vers moi :

— « J'ai découvert un petit homme en dessous d'un moineau. Il porte des vêtements et il est vivant ! VIVANT ! » lut-elle à haute voix.

Ma note ! Elle venait de mettre la main sur la note que j'avais écrite le soir où j'avais trouvé Ectar ! Je croyais pourtant l'avoir détruite… Désemparé, je restai immobile quelques instants en cherchant ce que je pourrais dire pour désamorcer le drame. Edward, lui aussi, était figé devant la trouvaille de sa mère.

— Vous êtes fou ! Fou ! m'accusa-t-elle en entraînant son garçon vers la sortie.

Edward tentait d'échapper à sa mère, mais elle était beaucoup trop forte pour lui. Elle ouvrit la porte de ma maison et voulut m'intimider une dernière fois avant de partir :

— Vous aurez de mes nouv…

Contre toute attente, elle se tut en fixant mon épaule. Toujours aussi vif et léger, Ectar s'y était installé à mon insu. Il se tenait bien droit en fixant lui aussi la jeune femme. Il y eut un long moment de silence. Puis, le plus naturellement du monde, Ectar finit par saluer la visiteuse de la main en souriant.

— Maman ! cria Edward apeuré.

Sa mère venait tout juste de tomber dans les pommes.

Je me précipitai vers elle pour l'attraper avant qu'elle ne se cogne la tête contre le sol. Je la transportai doucement vers mon fauteuil tandis qu'Edward ne pouvait retenir ses larmes. Je lui donnai quelques petites tapes sur le visage et elle reprit connaissance.

— Vous êtes fou…, chuchota-t-elle en me toisant momentanément avant de refermer les yeux.

— Tu vois, elle va bien ! dis-je à Edward pour le rassurer.

Chapitre 7

Quelques mois plus tôt
Cité marlotte

Dans la cour centrale, des Marlots avaient installé des dizaines de tables collées les unes contre les autres en vue du banquet qui devait avoir lieu le soir même. Chaque année, la reine organisait une fête où tous étaient invités à célébrer l'anniversaire de la création de la nouvelle cité marlotte. Cette année était spéciale puisque cela faisait exactement deux cent cinquante ans – ou mille saisons – que la ville avait vu le jour. Aucun Marlot n'aurait voulu manquer un événement aussi mémorable.

— Cette fois est la bonne ! s'enhardit Guliaf en se brossant les cheveux. Je lui ferai part de mon amour. Elle ne saura me résister !

Ectar, vêtu de son plus beau vêtement, un surcot de couleur crème avec des coutures verdâtres, ne put s'empêcher de sourire en écoutant son ami au cœur léger. Du balcon de son appartement, le chef des éclaireurs observait les préparatifs qui se déroulaient quelques étages plus bas. Il voyait les musiciens accorder leurs instruments sur la scène centrale, près du palais, et il sentait les parfums s'échappant des cuisines collectives de la ville.

— De la bonne musique, un repas gastronomique… On se souviendra longtemps de cette soirée ! déclara Ectar à son ami.

Il n'aurait pas cru si bien dire. La cité allait effectivement se souvenir de ce banquet somptueux…

— Prêt ? ajouta Guliaf en se présentant devant Ectar qui attendait patiemment sur le balcon. Quoi ?

Ectar avait écarquillé les yeux en voyant les cheveux de Guliaf, soigneusement brossés vers l'arrière. Il étouffa un fou rire en toussotant de manière exagérée, réussissant ainsi à berner son camarade. Les deux éclaireurs descendirent alors un grand escalier hélicoïdal pour aller rejoindre une foule de convives déjà nombreux. Ils croisèrent Olef qui venait tout juste de finir de se préparer en vitesse. Le moinier se mit à rigoler à la vue de Guliaf. Heureusement, Ectar prit Olef à part avant que leur ami ne se rende compte de quoi que ce soit.

— N'ébranle pas sa confiance! Il semble enfin décidé à lui parler!

Olef promit de ne rien dire, non sans continuer d'admirer à la dérobée la coiffure ridicule de Guliaf. Lorsque les trois compères atteignirent la place centrale, les musiciens exécutaient une partition au rythme entraînant. Les airs marlots ressemblaient beaucoup aux gigues irlandaises. On se mettait presque malgré soi à battre la mesure du pied en les écoutant. D'ailleurs, même si la soirée était jeune, plusieurs habitants avaient déjà envahi le plancher de danse.

Ectar, Olef et Guliaf allèrent rejoindre un groupe d'amis assis à une table. Tout le monde éclata de rire en voyant Guliaf avec sa coiffure extravagante. Ectar leur fit signe discrètement de ne pas trop le malmener, tandis que Guliaf cherchait à comprendre pourquoi le groupe s'égosillait ainsi. Une serveuse apparut alors avec des bocks remplis à ras bord de bière d'épinette.

— À cette soirée sans pareille ! dit Ectar en levant son verre.

Tous levèrent joyeusement leurs chopines et trinquèrent. C'est alors que Guliaf s'étouffa et éclaboussa Olef, furieux. Guliaf venait d'apercevoir Daïa à une table voisine où elle s'apprêtait à s'asseoir.

Elle était ravissante et affichait une mine joyeuse. Ses longs cheveux bouclés encadraient son délicat visage et sa robe aux teintes claires s'harmonisait à merveille avec ses grands yeux verts. Daïa était, de loin, la plus belle guerrière de la cité. Elle ignorait que Guliaf l'observait attentivement depuis son arrivée et qu'il épiait tous ses mouvements. L'éclaireur l'admira ainsi pendant quelques minutes jusqu'à ce qu'Ectar lui donne un petit coup dans les côtes pour le ramener à lui.

— C'est simple. Je me lève, je me dirige directement vers elle et je lui demande si elle veut danser avec moi, dit Guliaf en la fixant toujours.

— Tout simplement ! répondit Ectar pour l'encourager.

Guliaf se leva d'un bond, déposa brusquement sa chopine sur la table et prit une grande inspiration. Il était en train d'enjamber son banc lorsque le courage lui manqua. Il se rassit. Il suait abondamment. Il se leva de nouveau, plus doucement cette fois, mais changea encore d'idée.

— Elle semble occupée, bafouilla-t-il.

— Occupée? Je ne crois pas, affirma Ectar.

— Mais elle parle avec le groupe, là-bas…

— Elle a plutôt l'air de s'ennuyer, si tu veux mon avis.

— De toute façon, je t'ai toujours dit que tu étais une mauviette! lança Olef qui avait assisté à la scène depuis le début.

Mauviette? Fouetté par cette remarque, Guliaf se leva aussi brusquement que la première fois et se dirigea vers Daïa. Plus il s'approchait de sa belle, plus il ralentissait. Toutefois, il ne s'arrêta pas… Il tapota l'épaule de Daïa pour attirer son attention. Elle se retourna en lui souriant.

— Bon… Bonsoir, Daïa! Tu veux danser avec moi? lui demanda Guliaf, au bord de l'évanouissement.

Elle était sur le point de formuler sa réponse lorsque le Marlot assis à côté d'elle s'interposa:

— Désolé, Guliaf, elle vient tout juste d'accepter mon invitation! affirma un dénommé Salek sur un ton arrogant avant d'empoigner Daïa par le bras pour l'entraîner vers la piste de danse.

La soldate n'eut même pas le temps de parler au pauvre éclaireur qui avait enfin réussi à vaincre sa timidité pour la rejoindre. Elle lui adressa un dernier regard avant de disparaître dans la foule avec son partenaire.

Guliaf retourna piteusement vers ses amis et reprit place à table. Ses épaules étaient affaisées et son moral, au plus bas. Il agrippa son verre qu'il but en moins de deux. Silencieux, ses compagnons ne savaient que dire pour lui changer les idées.

— Eh bien! s'exclama enfin Olef en souriant.

— Quoi encore? répondit Guliaf, redoutant une nouvelle moquerie de la part du moinier.

— Tu n'es pas si mauviette que cela! Tu lui as enfin parlé, à cette jolie Daïa!

— Et alors? Elle est partie danser avec cet idiot de Salek.

— Ha! Ha! Ces jeunes! Vous avez tant à apprendre sur les Marlottes! Tu n'as donc pas remarqué la lumière dans ses yeux lorsqu'elle t'a vu près d'elle ?

— Non, ma sueur me brûlait les paupières et je ne voyais rien ! avoua Guliaf.

— Elle aurait préféré danser avec toi, je te le garantis !

L'attitude de Guliaf changea alors du tout au tout. Ragaillardi par la remarque d'Olef, le petit éclaireur afficha une mine satisfaite. Il prit son ami Ectar par les épaules.

— Je le savais ! Je te l'avais dit, Ectar, elle est folle de moi !

Le groupe ne put s'empêcher de rire face à cet élan d'optimisme un peu prétentieux. L'ambiance folâtre revint du coup parmi les fêtards et les chopines se remplirent une fois de plus.

Soudainement, la musique arrêta.

Tous se levèrent afin de saluer la reine qui venait de sortir du palais pour gagner la grande place.

— La reine Enia ! murmura un Marlot à une table voisine.

Vêtue d'une tenue toujours aussi irréprochable, la reine Enia se dirigea tranquillement vers la scène centrale accompagnée de ses trois conseillères. Doyenne de la communauté, elle était aussi vive d'esprit qu'à vingt saisons et sa bonne humeur était constante. C'était une reine juste et généreuse, aimée de son peuple.

— Mes amis, commença-t-elle en s'adressant à la foule, en ce jour, nous écrivons une page importante de notre histoire. Cela fait aujourd'hui mille saisons que notre colonie existe et elle se porte au mieux ! Mangez et buvez à foison, célébrez dans la joie cet anniversaire exceptionnel !

L'assistance acclama les paroles inspirantes de la reine Enia et la musique reprit de plus belle, ne laissant aucun répit aux danseurs déjà épuisés. De son côté, Guliaf tentait en vain d'apercevoir Daïa sur la piste bondée. Bientôt, les musiciens firent une pause et les Marlots rejoignirent tous leur table respective en vue du repas qui les attendait.

Des serveurs et des serveuses envahirent alors les passages étroits entre les rangées de tables pour faire le service. L'entrée, une salade aux trèfles garnie d'épines de sapin et de têtes de pucerons, fut distribuée. Alors que tous les convives se régalaient, l'orchestre entama une nouvelle partition pour faire patienter la foule jusqu'au prochain plat.

— Allez, je me relance! annonça Guliaf déjà en marche vers Daïa.

Tous furent surpris par son impulsivité. Olef, qui avait la bouche pleine, lui lança des mots imperceptibles d'encouragement. Guliaf y était presque lorsqu'il fut intercepté par Salek qui revenait s'asseoir à sa place.

— Guliaf! Mon cher ami Guliaf! Promets-moi d'être à mon mariage la saison prochaine! Ce serait génial! dit-il en lui donnant l'accolade.

— De quoi parles-tu, Salek? Tout le monde sait que tu finiras vieux garçon, alors lâche-moi! protesta l'éclaireur.

— Vieux garçon? répéta Salek, vexé. Non, j'ai enfin trouvé une Marlotte digne de ma personne! déclara-t-il tout en portant son regard vers la table où Daïa était assise.

— *Digne de ta personne?* Tu dis n'importe quoi! s'impatienta Guliaf, de moins en moins confiant.

— Mais non! Si tu ne me crois pas, va le lui demander toi-même! suggéra Salek en appelant Daïa qui se retourna vers les deux jeunes Marlots en souriant.

La soldate rayonnait en contemplant les deux rivaux qui se tenaient à quelques pas d'elle. Guliaf l'observa un moment durant lequel son univers bascula. Il devait se rendre à l'évidence : il avait perdu celle qu'il aimait avant même d'avoir pu lui révéler son amour. Il baissa les yeux et abandonna le nouveau couple à son bonheur.

— Tous mes vœux, Salek, laissa tomber l'amoureux éconduit sans se retourner, le cœur brisé.

De son siège, Olef avait plus ou moins perçu la discussion et il vit le jeune éclaireur quitter la fête en hâte. Il devina aussitôt que les événements ne s'étaient pas passés comme Guliaf l'aurait souhaité. Il vit ensuite Salek, satisfait, retourner tranquillement à sa table. Olef proféra alors quelques jurons marlots :

— Ce Salek est la peste ! Qu'a-t-il encore dit, celui-là ?

Olef se fraya un chemin à travers les Marlots affairés à desservir et tenta de rattraper Guliaf, mais il le perdit vite de vue. Le moinier regrettait de s'être moqué de l'éclaireur et voulait lui témoigner de la sympathie. Olef sentit alors une main agripper son vêtement et le retenir. « Où vas-tu donc ? » entendit-il avant de se retourner.

C'était Ectar qui voulait qu'on lui explique ce qui venait de se passer. Olef lui raconta ce qu'il savait de la rencontre entre Guliaf et le présomptueux Salek.

— Par où est-il parti ? demanda le meilleur ami de Guliaf.

Comme Olef l'ignorait, les deux Marlots partirent à la recherche de celui qui devait être le plus triste des convives de la grande fête. Mais le jeune éclaireur demeurait introuvable. Même son appartement était vide. Alors qu'ils en sortaient, Ectar et Guliaf entendirent une pluie d'applaudissements. En rejoignant la grande place, ils virent que la reine Enia venait tout juste de monter de nouveau sur la scène pour parler à la foule bruyante. Ils prirent le temps d'écouter le discours royal.

— Mille saisons ! débuta-t-elle, inspirée. Nous célébrons aujourd'hui le millième anniversaire de notre belle cité. Bâtie avec la sueur et la détermination de nos ancêtres, elle est devenue, au fil du temps, resplendissante et débordante de vie. Nous pouvons être fiers de notre travail, Marlots !

Tous accueillirent avec enthousiasme cet hommage singulier au peuple marlot. La reine prit une pause avant de continuer.

— Je voudrais aussi souligner le dévouement remarquable des responsables de l'approvisionnement hivernal, car les entrepôts débordent, du jamais-vu depuis plusieurs saisons !

Les cueilleurs et les éclaireurs crièrent leur joie à travers le vacarme de la foule survoltée.

— Moi, Enia, suis fière de mon peuple, fière de ce que nous avons accompli et confiante quant à l'avenir de cette colonie ! Longue vie à la cité ! Longue vie au peuple marlot ! lança-t-elle en levant les bras au ciel.

Alors que la reine était étranglée par l'émotion et que la foule exultait, un cri glacial surgit d'on ne savait où.

— *HIIIIIIIIIIIIIIIIIIIIIIIIIIIIIIIIIIIIIIIIIIIIIIII !*

Du coup, l'assemblée se tut et la peur envahit même ses membres les plus valeureux. Jamais les habitants de la cité n'avaient entendu un cri semblable, un cri qui leur inspirait le pire! Une seule fois le hurlement retentit. Une seule. Puis il y eut un silence de mort. La fête était terminée.

— Qu'est-ce… qu'est-ce que c'était? bégaya Ectar, apeuré.

Olef ne répondit pas. Il redoutait la suite des choses. C'était instinctif, c'était inscrit en eux. Tous les Marlots savaient inconsciemment ce que signifiait un tel rugissement, mais tous espéraient se réveiller au milieu d'un mauvais rêve. Malheureusement, l'affaire était bel et bien réelle.

Par le puits de lumière situé au-dessus de leur tête, les habitants percevaient le sifflement du vent. Cependant, ce n'était pas une rafale qui avait produit le son terrifiant. Quelque chose, dans la forêt, avait crié et tous écoutaient, inquiets, les bruits venant de l'extérieur de la cité.

Le murmure d'un mouvement traversa le tunnel d'entrée. La reine Enia, reprenant contenance, appela immédiatement les soldats.

— Commandant Rufus! Au tunnel! ordonna-t-elle au plus grand combattant de l'armée.

— Soldats, aux armes! dit celui-ci à ses troupes d'un ton ferme, sans montrer le moindre signe de peur.

Le commandant Rufus dégaina son épée et se précipita vers le passage. Admirant le sang-froid de leur supérieur, les soldats sortirent de leur torpeur et, un à un, ils le rejoignirent près du tunnel où du mouvement était toujours perceptible. Rufus enjoignit à la cinquantaine de soldats sur les lieux de former des rangs et de se tenir prêts au combat. Comme les autres, Daïa avait rejoint son commandant. Elle se trouvait en première ligne, juste en face du tunnel.

— Vous vous êtes entraînés toute votre vie pour le combat. L'heure est venue. Montrez-moi ce que vous êtes capables de faire! cria Rufus en bombant le torse aux côtés de Daïa.

Ectar et Olef étaient un peu à l'écart. Néanmoins, ils se préparaient, au besoin, à bondir sur un moineau pour engager un combat aérien. Une ombre apparut dans le tunnel. L'armée semblait prête à donner l'assaut lorsque le commandant Rufus interrompit l'opération.

— Halte ! Soldats, halte ! hurla-t-il en levant son épée au bout de son bras.

Ectar suivit le regard du commandant et comprit, lui aussi, ce qui se passait. Le guerrier abandonna les rangs pour joindre l'entrée du tunnel, près de l'ombre agitée.

— Un moineau ! C'est un moineau du perchoir ! annonça-t-il à l'armée, toujours sur le qui-vive.

Olef s'approcha.

— C'est celui de Guliaf, bon sang ! s'exclama-t-il, bouleversé.

Ectar reconnut alors le moineau de son meilleur ami, couvert de poussière et en proie à la panique. Guliaf avait probablement quitté la cité après sa rencontre avec Salek. Mais à présent, où était-il ? Ectar jeta un coup d'œil dans le tunnel. Rien. Le moineau était revenu seul au bercail, laissant son maître quelque part dans la forêt alors que *quelque chose* rôdait dans les environs.

— Bouchez les issues ! Plus rien ne doit pouvoir pénétrer dans la cité ! commanda la reine Enia qui observait la scène de loin.

— Attendez ! protesta Ectar en se plaçant devant l'entrée. Guliaf est à l'extérieur ! Nous devons aller le chercher !

La reine parcourut rapidement la distance séparant la scène de l'entrée du tunnel.

— Bouchez l'issue ! Avez-vous bien compris, Marlot ? C'est un ordre ! dit-elle à Ectar.

— Mais un éclaireur est toujours coincé dehors ! Voici sa monture qui est revenue seule ! insista Ectar, décidé à ne pas abandonner aussi facilement son ami.

— Et qu'est-ce qui vous fait croire qu'il est toujours en vie ? Vous avez entendu, tout comme moi… Nous sommes menacés. Bouchez l'issue ! répéta-t-elle, inflexible.

— Vous ne pouvez condamner ainsi Guliaf ! Il fait partie de notre communauté ! répliqua le chef des éclaireurs.

— Vous voulez mettre en danger toute la cité pour votre seul ami ? C'est bien cela ? le réprimanda la reine.

Ectar n'aurait pu affirmer le contraire. La reine agissait de manière rationnelle depuis le début de la crise tandis que lui-même était emporté par ses émotions. Ectar réfléchit quelques instants et se résigna. Il céda le passage aux soldats qui se mirent aussitôt à bloquer la principale entrée de la cité. Toutefois, au bout d'un moment, Ectar n'y tint plus:

— Je n'abandonnerai jamais Guliaf, même si je dois périr pour le sauver! déclara-t-il en sifflant sa monture qui vint immédiatement le rejoindre.

Tirant son moineau derrière lui, Ectar se fraya un chemin jusqu'à l'entrée et s'engouffra dans le tunnel avant qu'il ne soit complètement bouché. La reine ne chercha pas à l'empêcher d'entreprendre sa mission probablement suicidaire et admira secrètement le courage du chef éclaireur. Également ému, Olef ne lâcha pas son ami du regard jusqu'à ce qu'il disparaisse, avalé par les ténèbres du passage. L'entrée était maintenant bouchée derrière lui et Ectar ne pouvait plus reculer.

Ectar tenait fermement sa monture pour qu'elle ne rebrousse pas chemin. L'éclaireur avançait timidement dans le tunnel, mais prenait soin de l'inspecter, espérant y trouver Guliaf à chaque détour. Il arriva bientôt au bord de la falaise. Dehors, tout était calme. Ectar sentit la bise lui fouetter le visage, mais demeura concentré sur sa quête : trouver son ami le plus rapidement possible afin de regagner la cité par le puits, même si cela était périlleux.

— Où peut-il bien être ? chuchota-t-il en observant la forêt plongée dans l'obscurité.

Il empoigna son moineau et le monta. L'oiseau s'envola sur l'ordre de son maître. Bien qu'initié aux vols nocturnes, l'animal était nerveux. *Quelque chose* l'effrayait. *Quelque chose* qui se baladait dans les bois. Ectar piqua vers la cime des arbres et le moineau se faufila entre les branches alors que son cavalier cherchait le Marlot disparu. Puis, l'oiseau fit une manœuvre inattendue au-dessus d'un grand conifère.

Surpris par le mouvement brusque de son destrier ailé, Ectar lâcha prise et se rattrapa de justesse sur le flanc du moineau qui continuait à voler de façon irrégulière. Agrippé à sa monture d'une seule main, Ectar encaissait de douloureux coups d'aile. Sa monture était hors de contrôle. Impossible de la ramener à l'ordre. Se débattant afin de remonter sur le dos de la bête, Ectar perdit peu à peu ses forces et se sentit glisser. Le pire arriva. L'éclaireur tomba dans le vide.

En plongeant, Ectar vit son moineau disparaître au loin. Alors qu'il se croyait condamné, le chef éclaireur percuta violemment une branche de sapin avec son épaule. Il dégringola ensuite à travers d'autres rameaux qui ralentirent peu à peu sa chute, puis il s'immobilisa à environ trois mètres du sol, sur une tige épineuse.

Il prit quelques instants pour retrouver ses sens et se releva sans faire de bruit. Il craignait d'avoir été repéré et ne voulait pas s'attarder plus longuement dans le coin. L'opération de sauvetage qu'il avait bravement entreprise était suspendue. Pour l'heure, Ectar devait trouver le moyen de survivre jusqu'au matin. Une fois le soleil levé, il pourrait tenter de retrouver son moineau et de reprendre les recherches. Ne perdant pas un moment de plus, Ectar bondit sur un arbre voisin et y grimpa pour inspecter les alentours.

— Qu'est-ce que c'est ? se dit-il tout bas, surpris.

Du mouvement était perceptible au sol. La noirceur empêchait Ectar d'en savoir plus, mais il était persuadé qu'une créature se déplaçait au pied de l'arbre. Sa chute avait bel et bien attiré l'attention et maintenant *quelque chose* semblait le traquer. Le Marlot décida de fuir en se balançant d'une branche à l'autre. Il sauta ainsi d'arbre en arbre jusqu'à ce qu'il soit complètement épuisé par cet effort soutenu. Il atteignit enfin un vieil érable dont le tronc avait été fendu par la foudre. Ectar s'y enfonça et espéra y être en sécurité jusqu'au lever du soleil.

Coincé dans la crevasse étroite et sombre, Ectar se croyait en lieu sûr, mais il sentit soudain une main le tirer vers l'extérieur ! Terrorisé, il voulut mordre l'inconnu, mais il était trop tard ! Ectar était de nouveau à découvert, sans défense.

— Arrête de te débattre ! dit l'étranger en secouant le pauvre Marlot.

Arrête de te débattre ? Ectar ouvrit grand les yeux pour voir son adversaire, dont il croyait avoir reconnu la voix.

— Guliaf ? C'est toi ? s'enquit-il.

— Chut ! répondit Guliaf en écrasant sa paume contre le visage de son ami.

Guliaf grimpa alors un peu plus haut sur le tronc du vieil érable et Ectar le suivit sans hésiter. Les Marlots arrivèrent bientôt à une autre crevasse, beaucoup mieux dissimulée.

— Nous y serons en sécurité, promit Guliaf en y pénétrant.

— Mais où étais-tu donc passé ? Je t'ai cherché partout ! le réprimanda Ectar en se faufilant à son tour dans le tronc.

— J'avais besoin de prendre l'air après avoir appris la bonne nouvelle en ce qui concerne Daïa, tu comprends ? Puis il y a eu ce cri ! Mon moineau s'est aussitôt envolé, me laissant à moi-même avec ces choses rôdant dans la forêt.

— Alors, tu les as vues ? voulut savoir Ectar.

— Non, seulement leur ombre. Les créatures se cachaient jusqu'à ce que tu fasses ce bruit infernal un peu plus au sud. Je les ai ensuite entendues se précipiter vers toi. Tu as été chanceux de réussir à les semer !

Les créatures ? Elles étaient donc plusieurs. La situation était pire que ce qu'Ectar

113

avait pu imaginer. La ville n'était pas confrontée à un seul monstre isolé, mais plutôt à une bande d'entre eux, voire une armée !

— Nous ne pouvons qu'attendre l'aube. Espérons seulement que nous tiendrons jusque-là ! soupira Guliaf recroquevillé au fond de la crevasse, Ectar à ses côtés.

Chapitre 8

Janvier
Mauricie

— Mais que faites-vous ? balbutia Anne
en s'éveillant dans mon fauteuil.

Nous ne l'entendîmes pas, trop affairés
que nous étions, Edward, Ectar et moi, à
notre construction. Elle se leva donc tranquillement de son siège en examinant la
pièce, à la recherche de l'être étrange qui
avait été à l'origine de son évanouissement.
Elle ne le trouva nulle part et crut même
avoir imaginé cette rencontre inusitée.
S'approchant de la table autour de laquelle
nous étions assis, elle poussa un cri
d'épouvante directement dans mes oreilles,
ce qui nous fit tous sursauter.

— Quoi ?! réagit Edward en criant à
son tour, apeuré par la réaction de sa mère.

La jeune femme montra aussitôt du doigt Ectar qui était près de moi en train de tailler un morceau de bois. Elle plaqua sa main contre sa bouche pour s'empêcher de hurler encore.

— Vous allez mieux, à ce que je peux entendre ! lui dis-je en me frottant l'oreille.

— Qu'est-ce que c'est ? répliqua-t-elle en se prenant la tête à deux mains.

— Un trébuchet ! Nous allons capturer un moineau ! répondit naïvement Edward en admirant le piège de bois.

— Non ! Ça ! corrigea Anne en désignant Ectar.

— Un Marlot… Vous connaissez ? répondis-je à mon tour en lui souriant. Mais il pourrait peut-être lui-même se présenter !

— Il parle ? Cette chose parle ? bafouilla la jeune femme abasourdie.

— Pas une chose, un Marlot ! rectifia Ectar en la regardant droit dans les yeux.

Anne lança un petit cri, moins puissant que le premier, avant de se cacher derrière moi.

— N'ayez pas peur, il ne vous fera aucun mal ! ricanai-je tout en me remettant au travail.

— Comment pouvez-vous en être certain ? Regardez ! Cette bestiole a même une arme pour nous attaquer !

— Je travaille le bois… C'est un outil ! protesta Ectar.

— Mais ça pourrait aussi bien être un poignard ! répliqua-t-elle en mimant une attaque à l'arme blanche.

— Avec un *poignard* de cette taille, je doute même qu'il réussisse à vous égratigner ! lui fis-je remarquer.

La jeune femme s'écarta alors de moi, contourna exagérément Ectar et s'assit près de son garçon qui classait des bouts de bois. Maintenant face à elle, je ne pus m'empêcher de jeter un coup d'œil à cette mère affolée.

Anne était d'une beauté rare et naturelle. Sa silhouette était menue, gracieuse et ses cheveux brun clair frôlaient ses épaules. Rien ne semblait échapper à ses grands yeux bleus. Son visage, parfaitement symétrique, n'avait aucun défaut apparent. C'était assurément la plus belle femme que le destin m'ait permis de croiser.

Anne mit plusieurs minutes avant de sortir de sa torpeur. La présence d'Ectar la rendait extrêmement mal à l'aise. Sa réaction était littéralement à l'opposé de celle de son garçon qui n'avait pas la moindre difficulté à apprécier mon invité spécial. Pour Anne, accepter l'existence d'un Marlot n'était pas aussi facile. Cela allait à l'encontre de toute logique.

Finalement, elle parvint à ouvrir la bouche.

— Où l'avez-vous trouvé? Cela fait longtemps? Pourquoi le gardez-vous caché ici? Qui est au courant? Que comptez-vous faire? débita-t-elle rapidement.

Cette rafale de questions m'étourdit totalement.

— Je sais de qui Edward retient, maintenant! lançai-je en regardant la mère et le fils.

Anne réussit à maîtriser quelque peu sa nervosité et le flux de ses questions ralentit. Puisqu'elle était déjà au courant de l'existence d'Ectar et qu'il était trop tard pour faire marche arrière, j'acceptai de répondre à ses interrogations au meilleur de mes connaissances. Ectar lui-même s'immisça à quelques reprises dans la conversation afin d'apporter certaines précisions et Anne sursautait chaque fois.

— À quoi avez-vous dit que servirait ce piège ? demanda-t-elle.

— À capturer ma future monture ! répondit Ectar.

— Nous allons capturer un moineau pour qu'Ectar puisse s'envoler, poursuivre sa mission et sauver son peuple ! ajouta Edward.

— Sauver son peuple ? répéta Anne, intriguée.

Je dus alors raconter de nouveau les événements ayant mené Ectar jusque chez moi en pleine tempête. Ectar fit ensuite une brève description de son peuple à notre invitée. Avec une patience exemplaire, il prit le temps de répondre aux nombreuses questions d'Anne qui s'habituait peu à peu à la présence du petit homme. Au bout d'une heure intense à interroger le Marlot, la jeune femme jeta un coup d'œil à sa montre et se leva de sa chaise.

— Même si je pense rêver et que je n'en crois pas mes oreilles…, la réalité est que nous avons assez abusé de votre temps. Edward doit retourner en classe et je dois me présenter au travail pour midi, dit-elle en traînant son garçon vers l'entrée.

— Non ! Je ne veux pas y aller ! Je ne veux pas faire de mathématiques ! pleurnicha Edward.

Mathématiques ! Manifestement, Edward avait retenu le discours d'Ectar sur les forces et les faiblesses de chacun, un discours inconnu de sa mère.

— Arrête immédiatement de te conduire ainsi ! Je ne peux me permettre d'être en retard à la bibliothèque ! gronda-t-elle en habillant de force son gamin.

— Bibliothèque ? l'interrompis-je pour détendre l'atmosphère.

— Oui, j'y travaille, expliqua-t-elle en levant les yeux rapidement vers moi tout en continuant de se battre avec son fils.

— Tu reviendras un autre jour ! lançai-je à Edward pour le calmer, mais sa mère ne releva point l'invitation.

Une fois habillée, Anne me regarda, gênée.

— Désolée de vous avoir dérangé, bafouilla-t-elle en se faufilant dehors, visiblement toujours perturbée.

— Un instant ! la priai-je avant qu'elle ne descende les marches de mon balcon. Pouvez-vous me promettre de ne rien dire de tout ceci…, demandai-je en souhaitant son silence.

Elle me fit seulement un signe de la tête, sans préciser ses intentions. Puis Anne et Edward disparurent à bord de leur vieux tacot rouillé. Je restai sur le pas de la porte jusqu'à ce que je n'entende plus le son de la courroie usée.

— Je doute de les revoir dans le coin bientôt ! prédis-je en regardant Ectar. Elle était totalement effrayée. J'espère seulement qu'ils tiendront leur langue à propos de ton existence !

Ectar demeura silencieux. Il semblait même triste, craignant probablement de ne plus revoir mon camelot qu'il affectionnait tant. Nous retournâmes près de la table pour admirer notre construction enfin terminée. Le trébuchet était pareil à ceux que je bricolais avec mon père pour capturer les chardonnerets alors que j'étais à peine plus âgé qu'Edward. Restait à savoir s'il allait fonctionner.

J'enfilai des vêtements chauds pour tester le piège dehors. Ectar était impatient de l'installer près d'une de mes mangeoires à oiseaux, bien que celles-ci aient été peu fréquentées depuis le début de l'hiver. Je plaçai donc le piège artisanal en dessous d'un pommier où était suspendu un distributeur de graines de tournesol, juste en face de ma fenêtre de salon. Nous pourrions ainsi assister confortablement au déroulement des opérations.

— Allons nous cacher ! dit aussitôt Ectar après avoir déposé le piège au sol.

Dès notre retour à la maison, Ectar se colla contre la vitre et poussa un soupir de déception. Pas de moineau en vue. Je lui conseillai d'être patient, mais il avait beaucoup trop hâte d'admirer sa future monture à travers les barreaux de la cage. Le Marlot passa donc la journée sur le rebord de la fenêtre, à l'affût de tout mouvement, mais aucun oiseau ne visita ma propriété cette journée-là, ni le lendemain, ni même de toute la semaine.

Le temps fila et nous étions sans nouvelles d'Anne et d'Edward. Ce dernier ne me livrait même plus le journal et avait été remplacé par un vieil homme conduisant un tas de ferraille encore pire que celui de la jeune bibliothécaire. Le moral d'Ectar était au plus bas et il me proposa de construire un autre trébuchet pour maximiser nos chances d'attraper un volatile. Nous nous mîmes donc à l'ouvrage.

— Il est impeccable ! Mieux que le premier ! affirma Ectar en faisant les derniers ajustements à notre piège.

Les jours continuèrent à passer, sans toutefois que nous atteignions notre objectif.

— Parfaite ! Celle-là va fonctionner ! dit Ectar en terminant la troisième cage.

Après une semaine de travail, nous avions installé quatre pièges en différents endroits sur mon terrain. Chaque matin et chaque après-midi, nous les relevions, mais ils étaient toujours vides. Je commençais, moi aussi, à perdre espoir. J'en vins même à visiter la petite animalerie du village et à y demander un moineau. La réaction du commerçant fut très vive :

— Quoi ! Un moineau ? Mais c'est laid, un moineau ! Pourquoi ne choisissez-vous pas une belle perruche ? Pas cher, pour vous ! proposa-t-il.

123

Le problème était que, d'après les dires d'Ectar, seuls les moineaux pouvaient être domestiqués. Ce fait m'apparaissait amusant étant donné leur nom scientifique qui était justement *Passer domesticus*… Bref, je retournai bredouille chez moi en redoutant la réaction de mon Marlot déprimé à qui j'avais promis de trouver un oiseau.

En entrant, je vis Ectar en proie à une forte agitation. *Il est tombé sur ma réserve de chocolat ou quoi ?* Il sautait un peu partout dans le salon. J'essayai de comprendre son soudain enthousiasme.

— J'ai vu un moineau ! J'ai vu un moineau ! m'annonça-t-il tout énervé.

— Dans une de nos cages ? demandai-je.

— Non ! Mais tout près de l'une d'elles !

— Alors, ils sont enfin de retour dans le coin !

Ectar bondissait encore de joie d'une pièce à l'autre, lorsqu'on cogna à ma porte. Surpris par cette visite inattendue, je fis signe à Ectar de se cacher. Ce dernier se glissa derrière le rideau du salon, mais je

savais bien qu'il était beaucoup trop indis-
cipliné et curieux pour y rester longtemps.
J'entrouvris donc la porte avec appré-
hension.

— Vous ! dis-je, étonné.

Après tous ces jours de silence et
d'absence, Edward et Anne se tenaient face
à moi sur le pas de ma porte. Le gamin
affichait un franc sourire. Quant à sa mère,
elle semblait plutôt intimidée. Je les invitai
à entrer et Ectar sortit immédiatement de sa
cachette pour accueillir mon ancien
camelot.

— Je ne vous ai même pas entendus
arriver ! lançai-je à Anne.

— Nouvelle courroie ! précisa-t-elle.

J'aidai Anne à enlever son manteau
tandis qu'Edward avait déjà jeté le sien au
sol pour se précipiter vers son ami marlot.
Anne déposa un sac de livres sur l'une de
mes tables gigognes, près de l'entrée.

— Je tiens à m'excuser pour mon comportement envers vous et…

— Ectar. Il s'appelle Ectar, dis-je pour
compléter sa phrase.

— Oui, Ectar. Cette rencontre m'a beaucoup troublée et j'ai dû prendre le temps

d'y réfléchir. Je n'ai pas la même ouverture d'esprit que mon garçon, voyez-vous ! Ni celle d'un anthropologue, d'ailleurs.

— Donc, vous avez dû lutter contre vous-même pour accepter l'existence de mon invité.

— Oui, si on peut dire. Je suis surtout revenue ici pour Edward. Il s'ennuie à la maison. Surtout depuis que le journal l'a remercié de ses services. Je voulais que son sourire revienne enfin.

— J'avais remarqué un nouveau camelot justement…

— Edward ne respectait plus aussi fidèlement son engagement envers son patron, il a donc été renvoyé. Il passait plus de temps à discuter avec Ectar qu'à distribuer ses journaux.

Je me sentis un peu responsable du congédiement d'Edward. J'invitai donc Anne à boire un café afin que le gamin puisse s'amuser le plus longtemps possible avec Ectar. Les deux amis admiraient les trébuchets à travers la fenêtre et guettaient le ciel.

— Comme je vous l'ai dit, j'ai pris quelques jours pour réfléchir à votre découverte, m'expliqua Anne avant d'avaler une gorgée de sa boisson fumante.

— C'est normal. Au début, j'ai moi aussi été déstabilisé par ma rencontre avec Ectar, la rassurai-je.

— À mon travail, j'ai tenté de trouver de l'information concernant les Marlots.

— J'ai fait la même chose de mon côté, sans obtenir de certitudes. J'ai pensé qu'Ectar pouvait appartenir à la même branche évolutive que l'homme de Florès, découvert dernièrement en Indonésie et qui mesure au plus un mètre de hauteur, mais cela reste une hypothèse, pour le moment. Ce qui est certain, par contre, est qu'aucun Marlot n'a jamais été observé par l'homme jusqu'à aujourd'hui ! finis-je joyeusement.

— Justement, non…, commença-t-elle en me dévisageant.

— Hourra ! cria Edward dans le salon, interrompant sa mère.

Edward et Ectar dansaient, les bras au ciel. Le garçon m'annonça qu'un moineau venait tout juste d'être fait prisonnier d'un trébuchet ! L'enfant et le Marlot voulaient absolument sortir pour vider le piège, mais je tenais à entendre la suite des propos très intéressants d'Anne. J'acquiesçai néanmoins à la demande du duo survolté et nous sortîmes tous pour aller admirer le nouveau moineau d'Ectar. Dehors, je pris doucement la cage couverte de neige et la transportai à l'intérieur avec ma suite.

— Il est parfait ! Jeune et robuste, il sera une monture fantastique ! s'extasia Ectar en observant l'oiseau au plumage noir, brun et blanc.

— Il semble plutôt énervé ! commenta Edward.

— Il a seulement peur ! C'est certainement la première fois qu'il se retrouve dans une cage ! avançai-je.

— Je le comprends, affirma Ectar, référant à sa propre expérience.

— Laissons-lui du temps pour se calmer, proposai-je aussitôt, embarrassé par la remarque du Marlot.

Anne et moi laissâmes Edward, l'éclaireur et sa future monture près de la cheminée et nous installâmes sur le canapé. La jeune femme avait pris plusieurs de ses livres qui reposaient maintenant sur ses genoux. Elle me tendit l'un d'eux.

— Je suis un peu trop vieux pour ce genre de bouquins ! badinai-je en le feuilletant.

Anne n'avait apporté que des recueils de contes de fées parsemés d'illustrations de créatures fantastiques.

— Trop vieux ? Je me suis fait la même réflexion avant de m'y attarder plus longuement. C'est là que je me suis rendu compte que vous n'étiez pas le premier à avoir rencontré un Marlot !

— Pas le premier ? Que voulez-vous dire ? demandai-je, intrigué.

— Regardez ! m'ordonna-t-elle en me montrant quelques dessins colorés enjolivant des textes destinés aux enfants. Regardez les oreilles de cet elfe, insista-t-elle. Arrêtez de penser comme un scientifique et ouvrez votre esprit à l'univers fantastique ! Ne voyez-vous pas une ressemblance entre ce personnage et Ectar ?

Elle me montra la planche couleur d'un vieil album doré sur tranche.

— Les Trojas, selon la description qu'en donne Ectar, ressemblent à ces créatures, n'est-ce pas ?

— Des trolls ! dis-je en reconnaissant les monstres illustrés.

— Exactement !

— C'est impossible ! D'ailleurs, les Trojas ne se transforment pas en pierre lorsqu'ils sont exposés au soleil ! objectai-je tout en me levant de mon siège.

— Et si la pétrification dont parlent les auteurs des contes était une métaphore signifiant simplement que les Trojas sont des êtres nocturnes ? Pensez-y ! Je suis même certaine qu'en cherchant bien, nous trouverons dans les contes des traces de l'existence de la Lignée Royale !

Mon esprit fonctionnait à toute vitesse. *Ectar serait une sorte d'elfe ?* Les mythes et légendes populaires à la base des contes seraient donc de véritables témoignages de rencontres avec de petites créatures humaines, avec des Marlots ? Il en irait de même pour les Trojas qui, au fil des siècles et suivant les caprices de la tradition orale, seraient devenus des trolls ?

— À quoi ressemblent les membres de la Lignée Royale ? demanda Anne à Ectar avant que j'aie eu le temps de mettre de l'ordre dans mes idées.

— Je n'en ai jamais rencontré, avoua l'éclaireur, mais on dit qu'ils nous ressemblent beaucoup, à un point près : ils peuvent voler ! Ils ont des ailes, comme ce moineau !

— Des fées ! conclut la spécialiste en littérature fantastique.

Des fées, des trolls et des elfes ! Aussi osée qu'elle fût, l'hypothèse d'Anne me semblait de plus en plus plausible. La bibliothécaire venait peut-être de faire une découverte tout aussi historique que la mienne ! Pourquoi n'y avais-je pas pensé moi-même ?

Chapitre 9

Quelques mois plus tôt
Contrée marlotte

Dès que les premiers rayons de soleil transpercèrent le ciel, les deux Marlots sortirent de leur cachette, se croyant hors de danger. Même s'ils n'avaient pas fermé l'œil de la nuit, ils ne ressentaient aucune fatigue. La peur les animait et ils s'empressèrent de rejoindre la falaise, espérant y trouver un moyen de regagner la cité pour raconter au peuple les événements terrifiants qu'ils avaient vécus durant la nuit.

Après avoir difficilement escaladé la paroi rocheuse, ils aboutirent au tunnel dans lequel ils s'engouffrèrent. Tout au bout, l'entrée vers la cité était condamnée par un amas de pierres et de sable. Aucun son provenant de l'autre côté ne s'en échappait. Aucun mouvement ne se faisait entendre.

Ectar et Guliaf crièrent pendant plusieurs minutes, mais personne ne leur répondit.

— Et si les monstres avaient réussi à pénétrer dans la cité ? s'inquiéta Guliaf.

— Par où seraient-ils passés ? L'entrée de la ville est toujours bloquée et le puits de lumière est inaccessible. Les nôtres sont vivants, j'en suis sûr ! répondit Ectar en commençant à déplacer des pierres.

Les compères entreprirent ainsi de dégager l'entrée. Ils travaillèrent inlassablement, poussés par leur désir de revoir sous peu leurs amis en bonne santé. Ils avaient perdu la notion du temps lorsque Guliaf s'exclama :

— Ça y est ! Je vois la place publique !

— Attention ! cria Ectar en tirant son compagnon vers lui.

Une lame traversa la brèche par laquelle Guliaf avait vu la ville. Ectar reconnut aussitôt l'origine marlotte de l'arme affûtée.

— C'est nous ! C'est nous ! Ectar et Guliaf ! cria l'éclaireur en chef.

L'épée se retira tranquillement et les deux Marlots virent des ombres bouger dans un rai de lumière entre les roches. Après quelques secondes de silence, le rempart de pierres s'effondra brusquement au sol. À travers un nuage de poussière, Ectar et Guliaf aperçurent des soldats de la cité, parés contre toute éventualité. Parmi eux, Ectar reconnut le commandant Rufus.

— Amenez-les à la reine Enia ! ordonna celui-ci.

— Lâchez-nous ! protestèrent Guliaf et Ectar alors que des soldats se mirent à les pousser en direction du palais.

Ils montèrent bientôt les escaliers menant aux appartements de la reine. Cette dernière les y attendait impatiemment en compagnie de ses trois conseillères. Confus, les deux aventuriers aboutirent devant la doyenne marlotte qui se tenait telle une statue au milieu de la pièce.

— Les avez-vous vus ? s'enquit-elle sans plus de cérémonie.

— En avez-vous vu au moins un ? demanda la première conseillère.

— Étaient-ils nombreux ? enchaîna la deuxième.

— Répondez ! ordonna la dernière.

Cet interrogatoire étourdit les deux éclaireurs.

— Nous avons aperçu, en effet, quelque chose, raconta Guliaf avant d'exploser de rage. Mais dites-moi pourquoi vous avez tenté de me transpercer ! Pourquoi ?

— Guliaf ! lança Ectar en fixant sévèrement son compagnon vexé par les derniers événements.

— C'est ma faute, répondit prestement Rufus en s'avançant. Je croyais que vous étiez des Trojas !

— La terre de remblai déformait vos appels en cris menaçants ! Comprenez-nous ! expliqua Daïa en prenant la défense de son commandant.

Guliaf avait, bien évidemment, remarqué la présence de la jeune Marlotte, mais la nouvelle que Salek lui avait annoncée la veille le bouleversait toujours autant. Aussi évita-t-il le regard de son ancienne flamme.

— Tu vois, ce n'était qu'une erreur ! dit Ectar à Guliaf en lui massant l'épaule pour le calmer.

Comme le temps comptait, la reine mit fin à ces tergiversations. Elle avança d'un pas vers les deux rescapés en affichant une mine impatiente.

— Avez-vous vu un Trojas ? demanda-t-elle de nouveau d'une voix blanche.

— Je crois, oui, affirma Ectar sur le même ton.

Cette réponse créa tout un émoi parmi les conseillères qui se mirent aussitôt à discuter entre elles.

— J'ai vu des ombres et elles n'appartenaient à aucune créature connue de la forêt, j'en suis certain ! continua Ectar. Ces ombres étaient étranges. Elles m'inspiraient tout simplement… la mort !

— Ils sont donc de retour, s'attrista la reine Enia en baissant le menton.

Les événements de la veille le confirmaient. Personne ne pouvait plus le nier. Le cri qui avait glacé le sang de tous les Marlots était celui d'un Trojas. *Ils* étaient de nouveau en territoire marlot ! Ectar avait donc visé juste en prétendant qu'on allait se souvenir longtemps de l'anniversaire de la cité. La fête du retour des Trojas !

— Depuis toujours, je craignais qu'arrive ce moment. Depuis des saisons, mon âme me soufflait, au cœur de mes rêves les plus sombres, que je serais confrontée à une attaque des Trojas ! avoua Enia.

— Ne craignez rien, ma reine, je repousserai tous ces démons loin de nous ! Je vous en donne ma parole ! jura valeureusement le commandant Rufus en bombant le torse.

— Si seulement vous le pouviez ! répondit la souveraine. J'admire votre confiance en vous-même et en vos hommes. Toutefois, bien qu'entraîné, vous ignorez beaucoup de choses sur notre redoutable ennemi !

— Qu'insinuez-vous, ma reine ?

— Que seuls face à ces bêtes, nous n'avons, hélas, aucune chance !

— Au contraire ! Nous avons toutes les chances ! objecta Daïa qui supportait mal ce discours défaitiste.

— Il faut voir la réalité en face, poursuivit Enia. Rappelez-vous ce que l'on raconte sur les événements d'il y a mille saisons. Notre peuple a tout fait pour combattre ces bêtes, ce qui n'empêche qu'il se savait condamné d'avance !

— Mais où voulez-vous en venir ? demanda Rufus.

La souveraine jeta un coup d'œil vers l'une de ses conseillères qui quitta alors la pièce pour revenir quelques instants plus tard avec un vieux parchemin entre les mains. Le document était jauni par le temps et menaçait de tomber en morceaux. La conseillère le remit néanmoins à la reine qui s'installa à son pupitre pour le consulter silencieusement. Personne ne parla. Tous attendaient des explications, tous attendaient la solution pour vaincre les Trojas !

— Nous connaissons les stratégies de combat des Trojas, débuta une conseillère.

— Comme ils ont repéré notre place forte, nous ne pouvons espérer la quitter en toute sécurité. Ils sont probablement en train de se regrouper, de nous observer, de préparer le siège. Je suis même surprise que vous ayez réussi à revenir ici indemnes, commenta une autre conseillère en désignant les deux éclaireurs. Ils espéraient assurément vous voir emprunter un passage secret ou tirer autrement profit de votre retour parmi nous.

— Nous devrions peut-être prendre la fuite à la faveur des premières neiges, alors que les Trojas entreront en hibernation, suggéra Rufus en s'appuyant sur ses quelques connaissances de l'ennemi.

— Ce n'est pas aussi simple que cela ! Même si nous parvenions à quitter la cité en plein hiver, nous n'aurions aucun endroit où aller ! Comment survivre à un tel exil vers nulle part ? répondit la conseillère qui avait apporté le document.

La reine lisait toujours attentivement le parchemin, tout en écoutant la discussion entre les autres Marlots. Elle était concentrée depuis déjà plusieurs minutes lorsqu'elle leva la tête vers ses sujets impatients d'entendre des paroles d'espoir.

— Plusieurs reines ont régné sur la nouvelle cité marlotte depuis sa création, il y a mille saisons. Chacune a transmis à son héritière le récit précis de la chute d'Ica. Ce récit doit nous servir à apprendre. Ce récit met au jour la principale raison de notre défaite.

— Et quelle est-elle ? s'enquit Guliaf.

— Les messagers ont failli à leur mission ! déclara la souveraine en promenant son regard sur l'assemblée.

Alors, la reine exposa ce qu'elle savait de la dernière guerre avec les Trojas. Ceux-ci avaient organisé le siège de l'ancienne ville marlotte. Les assiégés qui avaient tenté de s'échapper, même en plein jour, avaient vite été capturés par l'ennemi dissimulé dans les recoins obscurs de la forêt. La reine avait alors décidé de se prémunir des monstres en se réclamant d'un traité ancestral, un parchemin dont la reine Enia avait copie.

— De quel traité parlez-vous ? demanda le commandant Rufus.

— De celui-ci, ratifié par la Lignée Royale, dévoila-t-elle en brandissant l'antique document.

— Mais il y a des lustres que nous sommes sans contact avec les membres de la Lignée, répliqua le commandant.

— Reste que, d'après ce traité d'alliance contre les Trojas, ils doivent nous porter secours. Il nous faut retrouver la Lignée, faire front commun avec elle et nous aurons une chance de survivre. Pour cela, nous avons besoin de meilleurs messagers que ceux dont disposait l'ancienne reine.

— Voilà donc ce qui a causé la perte de nos ancêtres, comprit Ectar. Ils n'ont pas pu se prévaloir du traité parce que leurs messagers n'ont jamais rejoint la Lignée.

— C'est exact, confirma la reine.

— Eh bien, je le répète, attendons l'hiver. Nos messagers pourront ainsi voyager en toute sécurité ! insista Rufus, comme s'il avait trouvé la solution miracle.

— Non ! Les Trojas connaissent eux aussi l'existence de ce traité et bloqueront toutes nos sorties bien avant cela pour nous empêcher de contacter nos alliés. Nous serons emmurés dans notre propre cité ! s'écria une conseillère.

— Ils attendront ensuite le retour du printemps pour terminer le travail ! conclut une autre. Nous serons alors affaiblis et faciles à vaincre !

Tout à coup, la reine Enia se leva de son pupitre et s'avança vers Ectar en le dévisageant. Ce dernier, étonné, recula d'un pas. La souveraine le montra du doigt, à la surprise générale.

— Vous ! J'ai observé votre attitude, hier. Alors que nous étions tous confrontés au danger, vous avez eu l'impétuosité de quitter la ville pour sauver votre ami, dit-elle.

Les trois conseillères, comme si elles avaient compris la suite, approuvèrent d'un hochement de tête.

— Savez-vous qui vous êtes ? continua la reine à l'attention d'Ectar, en esquissant un étrange sourire.

— Non…, balbutia timidement l'éclaireur.

— Vous êtes notre sauveur, annonça la reine. Vous êtes notre messager !

Chapitre 10

Fin janvier
Mauricie

Aujourd'hui était un grand jour pour Ectar qui guettait impatiemment le retour du beau temps afin de choisir et d'apprivoiser sa nouvelle monture. En effet, j'avais capturé un second moineau et nous attendions une journée de temps clair qui permettrait à Ectar de tester enfin ses volatiles. Edward et Anne voulurent assister au spectacle.

— Tu risques de te faire mal en tombant, s'inquiéta le gamin en ajustant son foulard pour se protéger du froid.

— Pourquoi tomberais-je ? Tu parles quand même au meilleur éclaireur de toute la cité !

Ectar semblait être le seul à ne pas douter de sa capacité à transformer ses moineaux sauvages en destriers ailés. Anne, Edward et moi redoutions que notre ami ne se rompe le cou à la tâche.

Dans leur cage commune, les moineaux rebelles volaient dans tous les sens.

— On devrait peut-être attendre qu'ils se calment un peu, qu'est-ce que tu en dis ? demandai-je en observant les oiseaux hyperactifs.

— Pas besoin, Robert ! Je vais commencer avec le plus petit. Pendant que je dompterai celui-là, l'autre aura fini de s'énerver ! annonça le Marlot, confiant.

Avec l'aide d'Anne, je réussis à séparer les moineaux dans des cages différentes pendant qu'Ectar étirait ses muscles en vue de l'effort physique qui l'attendait. Alors que le petit dompteur sautait sur place non loin de nous, Anne m'avoua craindre la suite des choses. Toutefois, même si je partageais le sentiment de la jeune mère, je ne pouvais empêcher l'éclaireur marlot d'accomplir sa destinée.

Le sort en était jeté.

Ectar se dirigea vers la première cage, où se trouvait le plus petit moineau.

Il ouvrit la porte et se glissa furtivement à l'intérieur. À ma grande surprise, l'oiseau se calma à la vue du Marlot et ce dernier put même flatter le volatile sans recevoir le moindre coup de bec. Ectar nous jeta un regard victorieux et sortit sa monture de la cage pour un premier vol.

Le ciel était limpide et il n'y avait aucun vent, le temps idéal pour s'envoler, comme le disait Ectar. L'éclaireur prit encore quelques instants pour amadouer la bête avant de l'agripper fermement par le duvet à la base du cou. Le Marlot bondit alors sur le dos de l'oiseau où il s'installa conforta-blement. Nous étions tous ébahis par ce premier exploit.

— Ce sera plus facile que je le cr…

Ectar n'eut pas le temps de terminer sa phrase. Le moineau s'envola brusquement en se débattant énergiquement. L'éclaireur glissa de l'animal hystérique et termina sa chute dans un amas de neige poudreuse. Il se releva en maudissant sa «stupide monture». Anne et moi ne savions pas comment réagir devant cet échec. Quant à Edward, il était plié en deux par le rire, sans aucun scrupule.

— Avez-vous vu sa tête quand l'oiseau a décollé ? répétait-il en essuyant les larmes de ses yeux.

Ectar revint vers nous en maudissant maintenant Edward qui, étalé par terre, se tordait de rire. Le petit Marlot donna un coup de pied rageur sur la botte du gamin avant de me réclamer un bout de ficelle. Je tirai aussitôt sur l'une des franges de ma vieille écharpe aux mailles dénouées et lui remis un bout de laine. Ectar entra alors dans l'autre cage où se trouvait le plus robuste des deux moineaux. La bête s'apaisa à son tour à la vue de l'éclaireur. Ectar attacha alors une extrémité du fil à sa propre jambe et l'autre à la patte de l'oiseau.

— Je crois que c'est une mauvaise idée de t'attacher à ce moineau-là ! lui dis-je, inquiet.

Ectar ne me répondit même pas. Il sortit de la cage en traînant son prisonnier. Sans daigner nous prêter la moindre attention, il sauta sur le dos du volatile. Surprise, la bête s'envola d'un coup. Ectar glissa de nouveau du dos de sa monture, tomba, mais fut retenu dans les airs par le bout de laine. Pour Edward, le spectacle n'en était que meilleur. Le gamin s'esclaffait sans retenue en observant le moineau qui volait à toute vitesse au-dessus de ma propriété avec le petit Marlot accroché à lui.

— Ha ! Ha ! Ectar est hilarant ! articula difficilement Edward entre deux fous rires.

De son côté, Ectar était loin de savourer le comique de la situation. Toutefois, il refusait de renoncer et résistait bravement à l'épreuve. Il réussit, je ne sais comment, à empoigner la ficelle qui le retenait au moineau. Grâce à celle-ci, il se hissa jusqu'au flanc de l'animal où il s'agrippa à une touffe de duvet. Ainsi, le Marlot regagna le dos de sa monture.

Du sol, nous remarquâmes que le vol du moineau était de plus en plus constant. Ectar avait enfin pris le contrôle de l'oiseau sauvage et il passa au-dessus de nos têtes en poussant un cri de joie.

En affichant un sourire satisfait, le jeune dompteur amena son nouveau destrier ailé à se poser près de nous. Tout en caressant son trophée, il nous rappela qu'il était le meilleur éclaireur de sa cité. Nous l'applaudîmes en chœur avant de rentrer, le laissant compléter l'éducation de son volatile auquel il fit faire plusieurs autres exercices au cours de la journée. Vers l'heure du souper, Ectar accepta d'interrompre l'entraînement jusqu'au lendemain. Épuisé, le Marlot tomba endormi sur le divan en compagnie d'Edward qui, pour sa part, était fatigué d'avoir tant ri.

— Vous lui avez posé la question ? s'enquit Anne, assise face à moi à table durant la soirée.

— Oui, hier, et sa réponse m'a surpris, répondis-je.

Effectivement, la veille, alors qu'Ectar me racontait comment il avait réussi à fuir de justesse la cité marlotte sous une pluie de projectiles en provenance des Trojas, je lui avais demandé s'il avait jamais rencontré d'autres humains avant moi. Ses commentaires à ce sujet avaient été étonnants :

« Oui, j'en ai vu d'autres que toi auparavant, mais nous évitons d'entrer en contact avec vous. Par le passé, trop de rencontres avec les humains ont mal tourné. On nous enseigne donc à ne prendre aucun risque et à garder nos distances, ce que nous faisons depuis d'innombrables saisons. »

J'avais été très déçu d'apprendre que, conformément à l'hypothèse d'Anne, je n'étais pas le premier humain à fréquenter un Marlot.

— Mais pourquoi nous évitent-ils encore alors que le dernier contact remonte à si longtemps ? m'interrogea Anne, intriguée.

J'avais posé la même question au Marlot qui m'avait répondu tout simplement :

« Les chevreuils, tu connais ? Notre intérêt pour vous est tout comme celui que nous avons pour cet animal. »

À ces mots, j'avais compris que les Marlots n'entretenaient aucune relation avec une espèce vivante autre que les moineaux. Voilà pourquoi nous n'avions aucune idée de leur existence jusqu'à aujourd'hui.

— Et après tout cela, vous allez accepter de le laisser partir ? voulut savoir Anne.

— Que puis-je faire d'autre ? Garder Ectar auprès de moi et être la cause de l'extinction de son espèce ? J'étudie depuis toujours des civilisations mortes et je refuse de faire disparaître celle d'Ectar !

— Mais peut-être que bien des gens aimeraient connaître l'existence des Marlots, ne croyez-vous pas ?

— J'en suis certain, reste que les Marlots refusent tout contact avec les humains et je dois respecter leur volonté.

Au fond, je mourais d'envie d'être reconnu publiquement pour avoir découvert les Marlots. Toutefois, en tant qu'anthropologue, je ne pouvais ignorer le sort tragique de toutes ces ethnies ayant souffert du bris de leur isolement et d'une rencontre forcée avec une culture dominante. Les Onas, les Béothuks et les Taïnos. Tous exterminés. Éthiquement parlant, je devais garder secrète l'existence du peuple d'Ectar. Par ailleurs, ce dernier m'avait offert son amitié le jour de Noël. Il y avait là quelque chose de sacré…

— Il a prévu me quitter au milieu du mois de mars, après les grands froids, pour filer vers le territoire présumé de la Lignée Royale. Je le laisserai partir. Je le laisserai tenter de sauver son peuple, un point c'est tout ! conclus-je.

Chapitre 11

Printemps
Mauricie

Je n'aurais jamais cru que le jour du départ de mon ami arriverait aussi rapidement. Je me rappelais son premier vol comme si c'était hier, mais en réalité, cet événement inoubliable s'était produit il y avait déjà plusieurs semaines. Le printemps se faisait sentir et Ectar était maintenant prêt à partir. Il avait entraîné sa monture quotidiennement et les progrès de l'animal étaient remarquables. L'habileté de l'éclaireur à chevaucher son destrier ailé était également belle à voir.

— Tu es certain de ne pas vouloir attendre à demain pour t'envoler? La température sera meilleure! proposai-je, anxieux.

— Le ciel bleu d'aujourd'hui me convient très bien, Robert! m'assura le Marlot en souriant.

Le soleil était levé depuis à peine une heure quand Ectar termina ses préparatifs. Anne et Edward étaient venus passer un dernier moment en compagnie du Marlot. Le gamin ne pouvait retenir ses larmes, des larmes de profonde tristesse cette fois, mais Ectar n'allait pas changer d'idée pour autant. Il chargeait minutieusement son moineau, baptisé Steve par l'ancien camelot. Je trouvais ce nom tout à fait ridicule pour un oiseau, mais Ectar était persuadé du contraire. « Steve? Aussi bien l'appeler Bob! » avais-je ironisé. « Mon père s'appelait Bob », avait répliqué Ectar sur un ton sévère.

Steve était un bon nom en fin de compte.

— Par où partiras-tu? bafouilla Edward.

— Je dois voler vers le sud pendant quelques jours avant de rejoindre le dernier territoire connu de la Lignée Royale.

— Comment sauras-tu que tu es au bon endroit? s'informa Anne.

— La reine Enia m'a tout simplement dit de foncer plein sud. Elle m'a affirmé que ce sont les membres de la Lignée Royale qui me trouveraient en temps voulu, et non l'inverse.

Bref, mon ami partait à l'aveuglette en espérant croiser fortuitement ses alliés potentiels. Cet épineux détail ne semblait même pas l'embêter. Sans hésitation, il prit place sur le dos de son moineau avant de se retourner vers nous qui étions atterrés de perdre à jamais cet être aussi unique qu'attachant.

— Sois prudent, Ectar, mon ami ! lui souhaitai-je douloureusement en esquissant ce qui ressemblait à un salut militaire.

Le Marlot prit quelques instants pour remonter le moral d'Edward qui sanglotait. Ectar salua ensuite Anne en lui faisant promettre de prendre soin de son garçon. Enfin, il me lança un regard plein de gratitude. Rien d'autre n'aurait pu provoquer une émotion aussi vive en moi.

— Je reviendrai vous voir, je vous le promets ! déclara-t-il en s'envolant.

Nous voulûmes tous le retenir, lui dire de rester encore un peu, mais aucun son ne réussit à sortir de nos bouches. Nous nous contentâmes de lui faire signe de la main tandis qu'il disparaissait au loin. Le souvenir d'Ectar nous hanterait encore longtemps. Le Marlot, quant à lui, devait déjà avoir la tête ailleurs. Il volait vers la mission la plus importante de sa vie.

Le ciel était bleu et aucun nuage n'apparaissait à l'horizon. L'air était froid, mais Ectar n'en souffrait guère, car son chandail en duvet de canard le préservait très bien de l'hypothermie. Steve était en forme. Il faut dire que l'entraînement des dernières semaines l'avait rendu encore plus robuste. Le Marlot put donc survoler les terres de la région durant toute la journée sans devoir s'arrêter. Ainsi, il vit défiler sous lui des paysages étrangers habités de centaines d'humains. Jamais il n'en avait vu autant de toute sa vie.

Lorsque le soleil amorça son déclin, il décida de se poser pour la nuit dans le clocher d'une vieille église au centre d'un petit village pratiquement désert. La structure centenaire allait le protéger du vent durant la nuit froide qui s'annonçait. C'était la première nuit qu'il passait seul depuis longtemps. Il en ressentit un vide d'autant plus lourd qu'il ne pouvait s'empêcher de penser à son peuple qui devait vivre de durs moments en son absence. Ectar se ressaisit. Tout dépendait de lui. Il lui fallait rester fort.

— J'ai laissé mes doutes et mes faiblesses derrière moi…, se dit-il tout bas pour se motiver.

Alors qu'il se répétait mentalement cette phrase, il entendit un bruit étrange en provenance de l'immense cloche d'airain. L'obscurité avait envahi les lieux depuis déjà quelques heures et la lune était couverte. Bref, Ectar n'y voyait rien et Steve était agité. Finalement, le clocher n'était peut-être pas l'abri idéal pour la nuit. Dans la pénombre, il ressemblait de plus en plus à un piège. On aurait dit qu'il gardait en son sein un terrible secret, un secret qui mettait en péril la vie de l'éclaireur et de sa monture.

— Je crois que nous devrions part…

Ectar fut interrompu. Surgissant de la pointe du clocher où elle était vraisembla- blement camouflée depuis le début, une créature de l'ombre fondit sur les voyageurs

157

stupéfaits! Ectar n'eut même pas le temps de réagir et de retenir son moineau qui s'envola en vitesse. L'éclaireur regretta amèrement d'avoir pris la précaution de s'attacher à sa monture. Dans les airs, la tête en bas, le pied coincé dans une ficelle nouée à la patte de son moineau, l'éclaireur se prépara au pire.

Heureusement, l'oiseau fila avec son maître vers le trou créé par une brique manquante dans la structure du clocher. Ectar et son volatile échappèrent ainsi à l'ennemi. Une fois dehors, dans le sillage de sa monture, suspendu dans le vide, Ectar ressemblait à un pantin désarticulé. Sa nuque frôla un lampadaire en bordure de la route. Puis, le Marlot aperçut la créature responsable de cette débandade. C'était un terrible rapace. Un harfang des neiges à la recherche d'un bon repas. Ectar reconnut aussitôt l'oiseau de proie qui avait tenté de l'engloutir quelques mois plus tôt. Impuissant au bout de sa corde, Ectar priait pour que Steve réussisse à semer leur attaquant avant que celui-ci ne joue de ses serres mortelles.

Le petit moineau agile faisait de son mieux et se faufilait entre les bâtisses et les fils électriques à toute vitesse. Cependant, le harfang gagnait peu à peu du terrain. Ectar tenta vainement, à plusieurs reprises, d'agripper la ficelle afin de reprendre place sur son moineau. Épuisé, le Marlot dut se résigner à être le spectateur de sa propre mort.

La poursuite s'éternisa. Le harfang des neiges semblait, hélas, décidé à ne pas abandonner son repas. Le rapace était tout proche. Ectar pouvait maintenant entendre le froissement des ailes de l'oiseau de proie et croyait son heure arrivée. Soudain, le moineau plongea vers une traînée de lumières mobiles. Une autoroute ! Le harfang obstiné suivit Steve. Celui-ci en profita pour l'entraîner vers une masse géante en mouvement : un camion avec semi-remorque filant à toute allure ! Vif comme l'éclair, le moineau évita de justesse le pare-brise du véhicule. Le harfang n'eut pas cette chance. Le son d'un impact et des crissements de freins se firent entendre, suivis d'un concert de klaxons…

Sauvés, ils étaient sauvés ! Ectar poussa un puissant cri de joie. Son moineau, son fidèle moineau, avait réussi à se débarrasser de l'oiseau de proie. Son moineau lui avait sauvé la vie !

Le duo finit par se poser au sommet d'un grand sapin où il trouva refuge pour la nuit. Cette fois-ci, le Marlot et sa monture purent s'endormir sans être dérangés, vidés par ce lot d'émotions intenses. Ils étaient sortis indemnes de l'attaque du harfang. La chance leur avait souri, mais on ne peut toujours compter sur la chance.

— Nous allons devoir être plus prudents, dit Ectar en flattant son moineau. Sinon, nous n'arriverons jamais en un seul morceau chez la Lignée Royale.

L'éclaireur se réveilla tôt le lendemain matin. Il faisait un froid glacial. Son vêtement était recouvert de cristaux blancs et il avait froid aux orteils. Steve était, quant à lui, protégé par son épais plumage et ne semblait nullement gêné par la température. Le petit Marlot se leva lentement et battit du pied pour se réchauffer. Au bout de quelques minutes, il se sentit prêt à reprendre la route. Il regarda la position du soleil et partit vers le sud en espérant tomber sous peu sur ses alliés.

À midi, le duo se posa sur une mangeoire à oiseaux pleine à craquer de graines de tournesol. À jeun depuis le début de la journée, le Marlot et sa monture s'y empiffrèrent sans retenue jusqu'à ce qu'un ornithologue hystérique les chasse.

— Un rat dans ma mangeoire ! Il y a un rat dans ma mangeoire ! criait-il en lançant des boules de neige sur les voyageurs.

Ectar sauta aussitôt sur le dos de son ami et ils s'envolèrent à toute vitesse en esquivant les projectiles glacés. L'ornithologue ne manqua rien de la scène. *Un rat qui vole à dos de moineau ? C'est impossible !* Il s'empressa de noter cette observation sur son site Internet personnel, site très peu fréquenté, malheureusement pour lui.

Ectar et Steve poursuivirent leur chemin, le ventre bien rempli cette fois-ci, prêts à affronter de nouveau la bise qui soufflait en altitude. Jamais l'éclaireur n'aurait cru devoir affronter de telles conditions météorologiques. Il n'était pas sans savoir que, depuis de nombreuses saisons, le temps était devenu capricieux et difficile à prédire. Toutefois, contrairement aux hommes qui en étaient responsables, le Marlot ignorait tout du réchauffement planétaire et des désordres climatiques que ce phénomène engendrait. Il ne pouvait que grelotter en espérant que la température s'adoucisse.

En attendant, Ectar souffrait tant du froid qu'il décida d'interrompre l'expédition plus tôt que l'habitude. Les doigts du Marlot étaient gourds, ses oreilles douloureuses et de fines perles de glace ornaient ses cils. Grâce à Dieu, les deux voyageurs réussirent à se mettre à l'abri dans une vieille grange en bois noirci située au milieu d'un champ balayé par le nordet.

— Aucune autre âme n'oserait habiter ces lieux, dit Ectar en écoutant le souffle lugubre du vent s'engouffrant entre les planches de la grange. Nous serons tranquilles jusqu'à demain ! ajouta-t-il.

Le Marlot se glissa ensuite sous un amas de foin sec du fenil. Steve préféra s'installer sur l'une des poutres du toit. Après avoir voyagé sans relâche depuis deux jours, les compères n'aspiraient plus qu'à une bonne nuit de sommeil.

Chapitre 12

Printemps
Cité marlotte

— Ils doivent l'avoir eu ! dit un Marlot.

— Impossible ! Vous l'avez tous vu comme moi franchir leurs lignes ! répliqua Guliaf.

Tout juste après le départ d'Ectar, les Trojas avaient complété le siège de la cité marlotte. Durant la nuit, ils avaient bloqué toutes les issues de la ville à l'aide de lourdes pierres, y compris le puits de lumière. Aussi, rares étaient les rayons de soleil réussissant à se faufiler vers la place centrale. Les Marlots durent s'habituer à cette obscurité continuelle.

— Pourquoi alors prend-il autant de temps ? Il devrait être de retour depuis des semaines ! s'indigna un Marlot.

— Comment voulez-vous que je le sache ? Il a peut-être choisi de passer l'hiver auprès de la Lignée Royale ? Peu importe, je vous garantis qu'il ne nous abandonnera pas. Je connais Ectar ! clama Guliaf.

La tension montait au sein de la communauté qui voyait sa fin approcher à grands pas. Les artisans marlots avaient bien construit quelques armes avec les moyens du bord, mais cela ne rassurait personne. La cité était devenue un cercueil géant et il fallait vite trouver le moyen d'en sortir, d'autant plus que les réserves d'aliments moisissaient à vue d'œil depuis que l'air s'était raréfié dans les entrepôts. Bref, les Marlots risquaient de mourir de faim avant le printemps.

Malgré tout, la reine Enia n'abandonnait pas la partie. Dès le début du siège, elle avait ordonné aux mineurs marlots de tout faire pour dégager les entrées de la ville. Hélas, les pierres qu'avait employées l'ennemi étaient d'une densité inhabituelle. Les outils des mineurs ne résistaient pas à la tâche et se brisaient constamment. La reine gardait tout de même espoir. Elle le devait, car tous ses sujets se tournaient maintenant vers elle.

L'un d'eux, un mineur, lui suggéra un plan original :

— Puisque les Trojas entreront par le haut, pourquoi ne pas nous sauver par le bas ?

Il y avait déjà plusieurs dizaines de saisons de cela, alors que la reine avait commandé de creuser un nouvel entrepôt pour la nourriture, les mineurs excavant le sol étaient tombés sur une veine de sable humide impropre à la conservation des aliments. La reine, déçue, avait opté pour l'abandon immédiat des travaux dans cette portion de la cité. Or, cette veine de sable était peut-être, aujourd'hui, une porte de sortie.

— Le sable est meuble, facile à creuser, même en cette saison. J'ignore où peut mener cette veine, mais nous devrions tenter le coup, déclara le mineur.

La reine approuva cette idée et les habitants de la cité se mirent au travail. Les volontaires affluaient et, bientôt, des tunnels en zigzag coururent un peu partout sous la cité, dans sa portion sablonneuse. Malheureusement, aucun de ces passages ne semblait mener vers l'extérieur.

— Nous creusons depuis si longtemps, il est impossible que nous ne débouchions sur rien ! s'impatienta Guliaf qui était constamment au front, piolet à la main, en train de casser des mottes de sable gelé.

Guliaf se sentait seul : Ectar lui manquait beaucoup. Il aurait tant aimé bénéficier des conseils de son chef en ces temps de crise. D'autant plus qu'il avait appris que les fiançailles de Daïa avec Salek n'étaient que mensonge. Normalement, Guliaf aurait explosé de rage devant une telle forfaiture, mais l'heure étant grave, il avait préféré pardonner à Salek. Depuis, Guliaf espérait avoir l'occasion de parler à Daïa, mais celle-ci s'entraînait sans relâche en vue du combat final…

— Nous avançons rapidement aujourd'hui ! lança Salek en regardant Guliaf.

— Nous finirons bien par atteindre notre but ! répondit Guliaf.

Depuis des semaines, les deux Marlots creusaient côte à côte. Au fil des jours, leur rivalité avait fait place à une complicité née de l'adversité. En travaillant ensemble, ils avaient plus de chances de survivre. Un passage devait être ouvert avant le printemps, sans quoi tous périraient aux mains des Trojas. En attendant, il n'y avait pas de place pour la dissension parmi les Marlots. Guliaf et Salek le savaient.

— J'ai entendu dire que Daïa te trouvait laid! blagua Salek.

— Ah oui? Elle m'a dit, à moi, que ton odeur la répugnait! rigola Guliaf.

— Je *sens* qu'elle parlait plutôt de toi!

Guliaf allait donner une bourrade amicale à Salek quand il s'arrêta net.

— Un instant! J'ai entendu quelque chose! dit-il.

— Que Daïa te trouvait simplet?

— Chut!

Guliaf ne plaisantait plus. Il percevait un bruit sourd derrière la paroi, au fond du tunnel.

— Je l'entends, moi aussi, affirma Salek.

Il se faisait tard et les compères étaient seuls à l'ouvrage. Guliaf commença à creuser la paroi tranquillement, en s'efforçant de faire le moins de tapage possible.

— Doucement, rappela Salek en l'aidant à enlever un gros bloc de sable.

Au bout de quelques minutes, ils débou-
chèrent sur un passage qui n'était pas de
leur création.

— Ce n'est pas un Marlot qui a fait ça,
fit remarquer Salek nerveusement en
scrutant les lieux.

En effet, le passage inconnu était désert
et son diamètre était plus grand que celui
des tunnels marlots. Salek agrippa une
torche qu'il lança à Guliaf. Ensemble, ils
décidèrent d'explorer les alentours. Guliaf
crut, l'espace d'un moment, qu'il pourrait
s'agir d'un terrier de raton laveur, mais une
odeur pestilentielle se dégageait de l'endroit.

— Aucun raton laveur ne pue autant!
protesta Salek.

— Et que dire de ce bruit étrange? Ça
ne ressemble à rien, pensa tout haut Guliaf.

Les deux Marlots avancèrent néanmoins,
espérant trouver une sortie ver la surface.
Ils tournèrent un coin et tombèrent sur une
cavité semblable à une grande salle ouverte
où résonnait une sorte de rugissement
assourdissant. Salek agrippa alors le bras
de Guliaf qui sursauta.

— On dirait que le sol bouge!

Guliaf dirigea la torche à ses pieds et fut frappé par une vision d'horreur. Il recula de quelques pas et Salek essaya de le retenir, n'ayant pour sa part encore rien vu. Il arracha la torche des mains de l'éclaireur effrayé et il illumina à son tour la grande salle.

Le tunnel avait mené les deux mineurs improvisés au pire endroit imaginable.

— La tanière des Trojas ! bégaya Salek.

La salle abritait en effet une centaine de Trojas en hibernation, tassés comme des sardines. Ils ronflaient horriblement, d'où le bruit qu'avait perçu Guliaf un peu plus tôt. Les deux Marlots se cachèrent derrière un remblai. Malgré leur peur, ils obser-vèrent les immondes créatures.

Les Trojas étaient plus grands que les Marlots et leur peau ressemblait à du cuir noir parsemé de verrues dégoûtantes et de cicatrices. Ces bêtes affreuses étaient poilues sur le sommet du crâne et sur le torse. Leur visage était très laid, grossier. Enfin, leur corps comprenait une queue grotesque semblable à un moignon.

— Fichons le camp d'ici ! insista Salek affolé en tirant sur les pans du vêtement de son ami.

Au même instant, un Trojas se leva brusquement. Croyant s'être fait repérer, les deux Marlots se jetèrent au sol en éteignant leur torche. Le Trojas somnolent s'étira avant d'uriner à gros jets sur un de ses congénères endormis. Une fois soulagé, l'impoli se recoucha à sa place et se rendormit en grognant. Les deux compères se relevèrent aussitôt et s'enfuirent au pas de course jusqu'à leur tunnel dans lequel ils s'engouffrèrent sans tarder. Salek se dirigea immédiatement vers la cité tandis que Guliaf s'évertua à boucher le trou.

Les pauvres Marlots qui avaient creusé inlassablement le sol à la recherche d'une sortie venaient d'offrir à l'ennemi une voie d'accès au cœur même de la cité…

Chapitre 13

Printemps
En route vers le territoire
de la Lignée Royale

La lumière du petit matin se faufila entre les planches disjointes de la vieille grange. Agacé, Ectar se cacha plus profondément dans le foin. Steve, déjà debout, explorait le bâtiment en attendant le réveil de son maître. Ce dernier, épuisé par les deux derniers jours de son périple, sursauta en entendant des rires. Confus, il crut reconnaître la voix d'Edward. Toutefois, il se rendit vite compte que la chose était impossible. Il tendit l'oreille…

— C'est l'endroit idéal pour y jouer ! lança une voix juvénile provenant de l'extérieur.

Ectar se leva d'un bond et siffla son moineau. Dès que Steve arriva à ses côtés, le Marlot s'empressa de retourner avec lui vers l'issue empruntée la veille. De la neige s'y était accumulée durant la nuit. Ectar entreprit de la gratter.

Il entendit l'un des vantaux de l'entrée s'ouvrir.

Des enfants firent irruption dans la grange. Ectar en compta une dizaine, vraisemblablement tous âgés d'une douzaine d'années tout au plus. Ils étaient bruyants et excités, se tiraillaient et riaient. Ce vacarme finit par rendre Steve nerveux. Ectar tentait de le calmer tout en s'évertuant à dégager la sortie. Ses efforts demeurèrent vains, car la neige y était mélangée à de la glace. Ectar examina donc les lieux en vitesse, cherchant un autre moyen de s'échapper. Il n'en trouva aucun.

Puis, le Marlot trembla en réalisant qu'un des enfants empruntait l'échelle menant au fenil. Steve, qui avait été si courageux face au harfang des neiges, s'envola aussitôt vers une poutre éloignée en laissant Ectar à lui-même.

— Ce moineau n'a aucune fidélité à moins que j'y sois attaché ! gronda Ectar en regardant l'oiseau déguerpir.

L'éclaireur se camoufla sous le foin. Une petite fille, plus jeune que le reste du groupe, morve au nez, apparut au bout de l'échelle. Elle se hissa difficilement jusqu'au plancher du fenil. Vêtue d'un habit de neige entièrement rose, elle plongea au sol pour ensuite se recouvrir de foin.

Plus bas, un garçon comptait à voix haute pendant que d'autres gamins couraient dans tous les sens à la recherche d'une bonne cachette.

— Vingt-neuf! Trente! Prêt, pas prêt, j'y vais! annonça le garçon.

Ectar espérait prendre la fuite le plus tôt possible sans être repéré par la petite fille. Malheureusement, les enfants avaient refermé les vantaux derrière eux. Ectar devait donc attendre qu'ils les rouvrent pour filer discrètement dehors avec Steve. Alors que le garçon était occupé à débusquer ses camarades, Ectar essayait d'attirer l'attention de son oiseau qui faisait toujours bande à part, effrayé par les gamins.

Tout à coup, une main humaine empoigna Ectar qui tressaillit. La petite fille en rose l'avait trouvé et le manipulait comme une poupée. Plus Ectar se débattait, plus la fillette resserrait son poing sur le Marlot. L'éclaireur suffoquait. Instinctivement, il ferma les yeux, mais sa fin n'arriva pas.

La petite fille, déçue de ne plus le voir bouger, décida de le secouer comme un jouet brisé. Ectar ouvrit alors les paupières en grimaçant. Sa jambe droite, écrasée, le faisait horriblement souffrir. La fillette se mit à rire.

— Toi, là-haut, je t'ai entendue! cria le chasseur.

Hypnotisée par sa découverte, la gamine ne prêta aucune attention à cet avertissement. Elle serra de nouveau le pauvre Marlot qui grimaça encore une fois de douleur. Elle gloussa de plaisir, ne réalisant pas la torture qu'elle infligeait à la fragile créature. Ectar pestait en lui-même de s'être fait prendre aussi facilement.

Le garçon monta l'échelle.

Le Marlot l'aperçut du coin de l'œil. Il ressemblait à Edward. Toujours aussi amusée par la mine pitoyable d'Ectar, la petite fille fit durer le supplice jusqu'à ce qu'elle soit dérangée par son camarade. Craignant de se faire enlever son jouet, elle dissimula le Marlot derrière son dos. Le garçon voulut voir ce qu'elle cachait. La fillette refusa de partager sa découverte aussi longtemps qu'elle le put et le tout se mua en une légère bousculade au terme de laquelle la gamine accepta de montrer la créature.

— Mais tu ne le touches pas, il est à moi ! précisa-t-elle en mettant l'éclaireur sous le nez du petit garçon.

Avant que ce dernier n'ait pu réagir, Steve plongea à toute vitesse en direction de son maître. La fillette apeurée lâcha Ectar qui tomba au sol.

Le moineau était déchaîné. Il lançait des cris suraigus et donnait des coups d'aile au visage des enfants. La panique s'empara de la fillette, du garçon et, bientôt, de tous les petits qui jouaient dans la grange. Ceux-ci se ruèrent sans attendre vers la sortie. Ectar appela aussitôt son moineau, le monta et quitta les lieux à la suite des bambins qui avaient laissé les vantaux ouverts. Ectar et Steve étaient enfin libres !

— Je retire mes paroles ! Tu es le moineau le plus courageux que j'ai eu la chance de rencontrer ! affirma le Marlot.

Après cette mésaventure, les deux voyageurs volèrent sans arrêt pendant au moins une bonne heure avant de diminuer la cadence. Ectar comprenait maintenant pourquoi son peuple ne s'éloignait jamais de son territoire habituel : le monde était beaucoup trop dangereux pour les frêles Marlots. Depuis son départ, Ectar avait déjà deux fois failli perdre la vie. Force était de l'avouer : sa mission s'avérait plus difficile et plus périlleuse que prévu.

Le duo éprouvé choisit désormais de ne survoler que des zones bien dégagées où les dangers étaient aisément repérables. Cette stratégie leur facilita le voyage et deux jours passèrent sans incident. Les voyageurs ne s'arrêtaient que rarement pour se nourrir dans des mangeoires à oiseaux en espérant de tout cœur ne pas y rencontrer de nouveau quelque ornithologue enragé.

Camouflés dans le feuillage d'un sapin, ils se levèrent hardiment au matin de la cinquième journée. Après avoir longuement parcouru des terres habitées par des humains, ils avaient fini par atteindre la lisière d'une vaste forêt qui s'étendait jusqu'à l'horizon. Aucun homme ne semblait l'habiter et Ectar présuma que le voyage tirait à sa fin.

— Cette forêt est la leur, celle de la Lignée, j'en suis certain! dit-il à son ami qui affrontait un vent de face.

Le paysage s'étalant devant eux ressemblait beaucoup à celui entourant la cité marlotte. Des arbres à perte de vue, un relief accidenté, de grandes étendues d'eau… Ectar se sentait plus à son aise dans cet endroit semblable à sa forêt natale. De plus, la température était clémente. Encouragé, Ectar décida de poursuivre sa route sans plus attendre.

À mi-journée, les deux voyageurs s'arrêtèrent au sommet d'une hutte de castors pour se reposer un peu. Le froid qui avait régné en altitude faisait place aux chauds rayons du soleil. Autour d'eux, la neige se transformait tranquillement en eau et les rivières, jusque-là dissimulées sous une épaisse couche de glace, frémissaient à nouveau. Des pépiements d'oiseaux se faisaient entendre et des écureuils lançaient de petits cris stridents. Le printemps était bel et bien en route.

— Il y a quelqu'un ? cria Ectar en tapant du pied sur la hutte.

Il n'espérait pas vraiment de réponse des rongeurs, mais sa bonne humeur le poussait à vouloir socialiser avec d'autres créatures. Il finit par se coucher sur le dos pour observer, au-dessus de lui, les nuages qui défilaient et qui empruntaient parfois de drôles de formes.

— Celui-là ressemble à la reine Enia !

Puis, Ectar se perdit dans ses pensées. La musique de la forêt l'enveloppait totalement et elle lui permit de refaire le plein d'énergie mentale. Depuis des mois, il rêvait de se retrouver dans un endroit aussi apaisant.

— Qu'est-ce qu'il y a ? demanda tout à coup Ectar à son ami devenu nerveux.

Le Marlot se rendit aussitôt compte que le chant de la forêt avait cessé. Il bondit sur ses jambes et scruta attentivement les lieux pendant plusieurs minutes sans rien y déceler d'étrange. Il monta ensuite sur le dos du moineau qu'il dirigea vers une branche au-dessus d'eux. Une fois posé, l'animal anxieux voulut s'envoler, mais son maître eut, cette fois, le temps de le retenir.

De son perchoir, Ectar continua d'inspecter les environs. Au bout d'un moment, un amas de pierres sur lequel la neige fondait abondamment retint l'attention de l'éclaireur. Les roches grisâtres semblaient attirer la lumière du soleil qui les réchauffait rapidement. Intrigué, Ectar observa l'amoncellement de plus près. Il finit par y entrevoir une embrasure suffisamment grande pour y pénétrer.

— Ça ressemble à une entrée, constata-t-il.

À ces mots, la forêt se mit à revivre et la tension qui avait été perceptible dans l'air se mit à baisser. *Et si ce trou était l'entrée de la cité de la Lignée Royale ? La reine n'a-t-elle pas dit que je trouverais nos alliés sans vraiment les chercher ?*

— Attends-moi ici et ne bouge pas ! ordonna Ectar à sa monture de plus en plus fébrile.

Ne faisant aucunement confiance à son oiseau, l'éclaireur chercha un bout de ficelle dans son bagage et attacha le volatile à la branche sur laquelle ils se trouvaient tous les deux. Steve n'apprécia nullement ce traitement et il picora vainement son entrave.

Alors, Ectar, en état d'alerte, descendit discrètement le long du tronc d'arbre. L'épisode avec la petite fille le hantait toujours…

Une fois au sol, il s'approcha de la hutte de castors. Il y grimpa pour mieux observer le tas de pierres tout près. Il se dirigea prudemment vers le trou, huma l'air qui en sortait et, ne décelant aucune odeur étrange, s'y engouffra. Du haut de son arbre, Steve perdit de vue son maître.

Le moineau attendit l'éclaireur pendant de longues minutes. Le volatile en vint à croire qu'on l'avait abandonné. Furieusement, il s'attaqua une fois de plus à la ficelle qui le retenait, mais le matériau était trop résistant pour son petit bec. Le moineau fut donc profondément soulagé lorsqu'il vit enfin Ectar sortir de la fissure.

— N'importe quoi ! Ce trou ne mène nulle part ! grogna Ectar, dépité. Ça ne sera pas aussi facile que cela de les trouver !

Il regagna la hutte et il tapa de nouveau du pied dessus en espérant déranger ses habitants discrets.

— Nous n'apprécions pas votre manque d'hospitalité ! Nous partons ! lança-t-il à la fois déçu et fâché avant de se diriger vers Steve qui l'observait toujours.

Alors qu'Ectar rejoignait son camarade, il glissa et s'enfonça dans la structure de la hutte faite de branches entremêlées et recouvertes de neige. Du bout du pied, il chercha une prise stable sur laquelle se hisser, mais il ne réussit qu'à s'enliser jusqu'aux genoux. Puis, alors qu'il se débattait pour remonter sur le dessus de la hutte, il sentit quelque chose lui agripper la jambe gauche et le tirer vers le bas. Apeuré, il gigota vivement, mais l'étreinte se resserra sur son membre piégé. En moins de deux, sans qu'il puisse même tenter de se libérer, Ectar disparut vers le cœur de la hutte en poussant un cri d'effroi.

Chapitre 14

Printemps
Cité Marlotte

— C'est la fin !

Salek avait annoncé la mauvaise nouvelle aux membres de la cité réunis sur la place centrale. La plupart des habitants s'effondrèrent lorsqu'ils apprirent que le gisement sur lequel ils avaient fondé tous leurs espoirs menait plus près de la mort que jamais. Tout ce dur labeur pour aboutir aux côtés de l'ennemi ! À leur réveil, les Trojas de la tanière auraient l'heureuse surprise de trouver un accès direct à leur petit-déjeuner !

— Et ils sont nombreux ! Beaucoup trop nombreux ! précisa Salek à la foule affligée.

— Comment sont-ils ? Vous les avez vus de près. Ressemblent-ils à ce qu'en disent les récits ? demanda un curieux.

— Bien pire ! Vous n'avez aucune idée à quel point ils sont laids et repoussants ! Ils s'urinent même dessus les uns les autres !

Alors que Guliaf rapportait ses propres observations, le commandant Rufus s'approcha doucement de lui et lui mit une main sur l'épaule. Il chuchota à l'oreille du jeune éclaireur :

— La reine Enia veut vous rencontrer le plus tôt possible. Dès que tout ceci sera terminé, rejoignez-moi à l'entrée du palais et, surtout, laissez Salek derrière vous ! Ne dites rien de notre rendez-vous à personne !

Une fois son message livré, l'imposant combattant quitta les lieux sans se retourner. Guliaf fut décontenancé par l'attitude mystérieuse du commandant. Il se doutait bien que tout cela était lié à sa découverte, mais pourquoi tant de secret alors que tous savaient déjà la vérité ? Sa réflexion fut interrompue par quelques Marlots avides d'obtenir plus de détails sur sa récente mésaventure.

Après une heure de bavardage, les habitants amers regagnèrent enfin leurs appartements pour le reste de la nuit. Salek, qui désirait profiter au maximum de sa nouvelle et éphémère popularité, haranguait les Marlots qui tentaient de retourner calmement chez eux.

— Tu nous as déjà tout raconté, Salek ! dirent-ils à l'orateur en manque de public.

Guliaf, enfin débarrassé des derniers curieux, quitta aussi l'endroit. Il arriva bientôt à proximité du palais et s'y engouffra en vitesse en espérant que personne n'ait remarqué son passage. À l'intérieur, l'obscurité était totale et Guliaf ne pouvait voir à plus d'un centimètre devant lui. Alors qu'il appelait tout bas le commandant qui l'avait convoqué, quelqu'un l'agrippa par le col et plaqua une main contre sa bouche. Par réflexe, il se débattit, mais une voix familière lui demanda de se calmer. Il reconnut aussitôt un parfum : Daïa !

— Ils nous attendent à l'étage. Ne fais surtout pas de bruit ! chuchota-t-elle en l'entraînant vers la cage d'escalier.

Ils grimpèrent les marches en catimini et, lorsqu'ils arrivèrent aux appartements de la reine, Guliaf saisit la petite guerrière par son vêtement avant qu'elle ne pousse l'imposante porte de bois.

— Je voulais m'excuser pour ma conduite au banquet de la cité, lui murmura-
t-il doucement. Je n'ai pas eu la chance de
te reparler depuis et je sais que je m'y prends
un peu tard, mais je m'étais promis de te
faire part de mes sentiments dès que poss…

Avant qu'il n'eût terminé sa phrase, la
porte s'ouvrit brusquement devant les deux
jeunes Marlots. Guliaf sursauta et Rufus
apparut dans l'embrasure. Il invita les
nouveaux venus à entrer. Daïa rejoignit
prestement son commandant. Au bout de la
pièce, Guliaf vit un petit groupe d'individus
qui discutaient entre eux, la reine entourée
de ses trois conseillères.

— Le voilà enfin ! s'exclama-t-elle en
posant les yeux sur le mineur malchanceux.

Guliaf salua respectueusement la souveraine. Dix Marlots étaient au rendez-vous
en ces lieux enveloppés de silence et de
mystère. Guliaf les reconnut immédiatement : des soldats.

— Pourquoi suis-je ici avec l'armée ?
s'enquit-il.

La reine s'approcha, suivie de ses trois
conseillères.

— Vous venez de trouver une tanière de Trojas, n'est-ce pas ? demanda Enia.

— En effet, j'ai trouvé par malchance l'endroit où plusieurs d'entre eux hibernent. J'ai creusé sans relâche pendant des semaines et voilà le fruit de mon labeur ! J'ai honte de ce que j'ai accompli cette nuit ! avoua-t-il tristement.

— Voilà enfin une bonne nouvelle en ces temps difficiles ! s'exclama la souveraine en souriant.

Surpris par cette réaction, Guliaf, qui croyait avoir condamné à mort toute la communauté en tombant sur ce tunnel maudit, voulut des explications. Avant même qu'il ne remue les lèvres, la reine répondit à son désir :

— J'aime mieux savoir où se trouve mon ennemi plutôt que de me faire surprendre par ce dernier, s'enthousiasma-t-elle.

Le commandant Rufus précisa qu'en temps de guerre, toute information sur l'adversaire et ses positions était vitale. Trouver un nid de Trojas constituait une chance inouïe. Le commandant comptait adapter sa stratégie défensive en fonction de cette donnée. Il espérait peut-être même lancer le premier une offensive, faire une sortie !

— Nous devons aller à leur rencontre, Guliaf ! annonça le guerrier. Nous avons l'opportunité de déceler leurs failles !

— Quoi ? Vous n'êtes pas sérieux ! Vous voulez mourir avant votre temps, c'est ça ?

— Mourir ? Non ! Nous reviendrons tous indemnes de cette expédition, je vous le garantis ! promit-il en dévisageant l'éclaireur.

— Un instant ! Que voulez-vous dire par *nous* ?

— Je pense à l'armée et à nous deux, fit-il en ricanant.

Les soldats préparaient déjà leur attirail. Guliaf manifesta vivement son désaccord et la reine dut intervenir pour le ramener à l'ordre. Salek n'étant pas fiable, la souveraine avait pris sa décision : Guliaf allait faire partie d'une expédition de reconnaissance, qu'il le veuille ou non ! Las de l'entendre protester, Rufus tira par le gilet l'éclaireur qui plaidait encore sa cause devant la reine intransigeante.

— C'est par ici, dit le commandant en entraînant Guliaf vers l'escalier.

Alors que le groupe quittait le palais et se dirigeait rapidement vers le tunnel, Rufus donna à Guliaf un cours accéléré sur les missions de reconnaissance, mais ce dernier était toujours aussi apeuré à l'idée de retourner dans la tanière des Trojas. Voyant la terreur dans le regard du jeune Marlot, Rufus le saisit par les épaules et le secoua vivement.

— Si vous ne le faites pas pour vous, faites-le au moins pour la cité! Si nous réussissons, nous affaiblirons beaucoup l'ennemi. Arrêtez de vous comporter comme un lâche! Cette mission pourrait permettre de sauver notre peuple!

Guliaf fixa le commandant. Ce dernier vit que son discours faisait effet. Le jeune éclaireur changea aussitôt d'attitude et une surcharge d'adrénaline traversa son corps. Animé par cette énergie nouvelle, Guliaf prit la tête du groupe et le mena jusqu'à l'entrée du tunnel.

— Vous voyez cette poutre au centre du tunnel? Vous n'en verrez que rarement, mais surtout n'y touchez pas! prévint-il. Ces étais supportent les parois donc, vous, là-bas, avec les épaules larges, marchez de côté si vous ne voulez pas tous nous tuer ! tonna Guliaf, à présent sûr de lui.

Torches à la main, les Marlots descendirent dans l'étroit goulot de sable gelé et de cailloux menant au réseau de tunnels qui courait maintenant sous la cité. Une fois en bas, Guliaf dirigea la marche. De nombreuses voies sans issue avaient été creusées par les mineurs. Elles croisaient fréquemment le chemin principal et il était difficile de s'orienter dans ce labyrinthe. Au bout de quelques minutes de marche, le groupe parvint à un cul-de-sac.

— Voici l'entrée du passage menant à la tanière. Je l'ai bouchée sommairement avant de filer annoncer la nouvelle, expliqua Guliaf.

Rufus ordonna de dégager la voie sans faire de bruit et il fut le premier à se jeter dans le trou menaçant. Tous le rejoignirent sans perdre un instant.

— Où mène le chemin par là-bas ? chuchota Rufus à Guliaf en pointant de l'index la direction contraire à celle de la tanière.

Guliaf haussa les épaules et le commandant assigna un soldat pour vérifier.

— Amène-le avec toi ! commanda Rufus en désignant l'éclaireur.

Guliaf était soulagé de ne pas retourner à la tanière, mais il craignait tout de même de tomber sur une autre salle remplie de Trojas endormis. Par courtoisie et opportunisme, il laissa le guerrier marlot passer devant lui et le suivit à pas feutrés. Rufus poursuivit sa route vers la tanière avec le reste du groupe dont Daïa faisait partie.

En tournant précautionneusement les coins, le nouveau duo avançait tranquillement dans le noir en souhaitant ne pas se faire surprendre par une créature de l'ombre. Le soldat avait un flambeau à la main et une épée dans l'autre, prêt à se défendre. Contrairement à Guliaf, il ne semblait nullement anxieux et allait d'un bon pas.

— Ces tunnels n'ont pas besoin d'étais, dit l'imposant soldat que l'éclaireur avait pris à part un peu plus tôt. C'est du solide, grommela-t-il, visiblement vexé.

Après quelques minutes de marche, les deux Marlots découvrirent un lieu qu'ils n'auraient osé espérer trouver. Le sol était couvert de glace et un mur de neige leur faisait face.

— La sortie ! C'est la sortie ! s'écria Guliaf en voyant l'issue.

Le soldat fit aussitôt signe à l'éclaireur de se taire, de peur d'alerter l'ennemi. Guliaf alla sans tarder tâter la surface froide et il y enfonça le bras. La neige était légère : elle serait facile à creuser. L'éclaireur venait enfin de trouver l'issue qui permettrait probablement à son peuple de fuir ! Le printemps maintenant aux portes, les Marlots n'auraient plus aucune difficulté à survivre en dehors de la cité. Le soldat décida qu'il valait mieux rejoindre le reste du groupe pour lui annoncer la bonne nouvelle.

Les compères rebroussèrent donc chemin. Une fois sur le passage principal, le soldat s'immobilisa. Guliaf s'arrêta, interloqué par le comportement de son compagnon. C'est alors qu'un cri menaçant se fit entendre au loin. L'éclaireur paniqua instantanément. Ses sens s'embrouillèrent et il vit surgir de l'obscurité les soldats en reconnaissance qui fuyaient la menace au pas de course.

— Vite ! Ils arrivent ! prévint Rufus en montrant du doigt le tunnel derrière lui.

— Comment ?

— Nous nous sommes fait surprendre par un Trojas qui urinait ! Quelle imprudence stupide de notre part ! Nous les avions enfin à notre portée !

Des cris et des rugissements envahirent l'espace étroit. Tous les Marlots se ruèrent vers le puits qui les ramènerait à la cité. En leur faisant la courte échelle, Guliaf aida les membres de l'expédition à se sauver. Lorsque le dernier soldat se hissa dans le passage, Guliaf y monta à son tour. À peine venait-il de s'engouffrer dans le goulot qu'il vit un Trojas enragé passer sous ses pieds. Horrifié par cette vision, Guliaf faillit perdre prise pour tomber dans la gueule du loup. Heureusement, une main l'agrippa.

— Nous sommes tous là ! Allons-y ! lui dit nerveusement le soldat aux larges épaules qui le retenait.

Il poussa Guliaf devant lui et tous deux rampèrent le long du puits, en priant pour qu'aucun Trojas n'en découvre l'entrée. Malheureusement, des cris se firent vite entendre. Les démons étaient en chemin ! Les deux Marlots accélérèrent le pas, poussés par la peur de la mort. Les hurlements s'approchaient rapidement. Dans son empressement, Guliaf évita de peu une poutre et il ralentit pour attendre le soldat qui traînait de la patte. Les rugissements étaient de plus en plus impressionnants. Plus que quelques secondes et l'ennemi serait là.

Guliaf se retourna et quelle ne fut pas sa surprise lorsqu'il vit son compagnon d'infortune immobile au milieu du passage. Guliaf lui cria de continuer d'avancer, mais le soldat ne bougeait plus. Il fixait solennellement l'éclaireur. Guliaf n'y comprenait rien. Puis le militaire lui fit signe de partir.

— Ils atteindront sous peu la cité ! Je vais les empêcher de détruire tout ce que j'aime ! affirma tristement le colosse.

— Tu dis n'importe quoi ! Viens ! Nous pouvons encore les semer !

— Je ne crois pas, mon ami ! répliqua le soldat en regardant par-dessus son épaule. Je compte sur toi pour dire à ma famille à quel point ils me manqueront !

Alors que Guliaf allait revenir sur ses pas, il vit le soldat accomplir l'inconcevable. En effet, le militaire plaqua volontairement la poutre maîtresse qui soutenait les parois de la galerie. Celles-ci, instables, s'effondrèrent sur le pauvre Marlot qui sacrifia ainsi sa vie pour empêcher les Trojas d'atteindre la cité. L'affaissement du sol s'étendit bientôt à l'ensemble du goulot de sable gelé et de caillasse. Guliaf fut contraint de reprendre sa course afin d'échapper au nuage de poussière qui filait à toute vitesse dans sa direction. Heureusement pour lui, la ville était proche et il émergea hors du tunnel avant que le sable ne le comble complètement, mettant ainsi un terme à l'avancée des Trojas vers la cité.

Chapitre 15

Printemps
Dans la hutte de castors

Quand Ectar reprit connaissance, il se trouvait dans une salle obscure et tiède. Allongé au sol, il tenta de bouger, mais ses membres étaient solidement ligotés. Il jeta alors de rapides coups d'œil autour de lui. Tandis que ses yeux s'adaptaient à la noirceur, il crut distinguer des ombres silencieuses tout autour de lui. Son sang se glaça et il ferma les yeux, apeuré. Il sentit soudain un bout de bois tapoter ses côtes. Des murmures se firent entendre.

Croyant avoir été capturé par les Trojas, Ectar se prépara au pire, mais il perçut une odeur familière qui le rassura quelque peu. Le Marlot décida donc d'ouvrir les yeux pour en savoir plus. Des mains étrangères agrippèrent alors ses vêtements et tirèrent dessus. Ainsi, le Marlot put se relever, tant bien que mal. Ectar ferma de nouveau les yeux et sentit un souffle sur son visage.

— Qui es-tu, étranger ? dit une voix.

Ectar battit des paupières et vit une silhouette semblable à la sienne se découpant devant lui. Persuadé d'être victime d'une hallucination, l'éclaireur secoua vivement la tête, espérant échapper ainsi à ce rêve invraisemblable. Néanmoins, la vision persista et la voix sépulcrale répéta sa question. Désorienté depuis son arrivée en ces lieux étranges, le jeune Marlot avait peine à saisir tout ce qui lui arrivait.

— Où suis-je ? marmonna enfin l'éclaireur.

Cette phrase fit naître des chuchotements par dizaines entre les créatures intriguées. L'inconnu, qui faisait face à Ectar, répondit :

— Tu es dans notre cité !

Cité ? Avait-il bien entendu ? Ectar était-il enfin tombé sur la cité de la Lignée Royale, celle qui sauverait son peuple de la menace des Trojas ? *Ils m'ont effectivement trouvé, comme l'avait annoncé la reine Enia…* Un sourire illumina le visage crasseux du prisonnier qui sortit de sa torpeur.

— Chers membres de la Lignée Royale, je suis venu de loin pour vous rencontrer ! annonça Ectar en utilisant un langage soigné pour amadouer ses alliés.

L'inconnu se tourna vers les siens, décontenancé par les dires de l'éclaireur, et un silence gênant envahit de nouveau la salle. Croyant s'être mal exprimé, Ectar trembla.

— Tu crois que nous sommes de la Lignée Royale ? ricana l'étranger contre toute attente.

Le groupe entier se mit alors à rigoler. Ectar ne comprenait plus rien à la situation et sa confusion grandissait avec l'écho des rires rebondissant sur les parois de la salle. Il assista sans broncher à cette scène inusitée. Puis, l'inconnu finit par reprendre son sérieux.

— Vous n'êtes pas un membre de la Lignée Royale ? demanda Ectar.

— Non, mais tu nous as bien amusés avec ta question !

L'étranger ordonna à ses camarades de défaire les liens d'Ectar.

— Si vous n'êtes pas de la Lignée Royale, qui êtes-vous ?

199

— Je pourrais te poser la même question ! lança l'inconnu.

— Je me nomme Ectar et j'habite une cité se trouvant à une grande distance de ces lieux. Je suis un Marlot !

Cette brève explication fit renaître les chuchotements parmi la foule et l'étranger sembla tout à coup extrêmement troublé par cette présentation. Il examina alors Ectar qui n'osait bouger d'un poil.

— Je suis Harald, souverain de cette cité, commença-t-il avant de prendre une pause. Nous sommes aussi des Marlots !

Impossible ! pensa Ectar. Aucune autre cité marlotte, outre la sienne, n'existait ! C'était bien connu ! Que voulait donc dire cet étranger en tenant de tels propos ? Cet Harald se moquait de lui, il n'y avait aucun doute là-dessus !

— Vous n'êtes pas un Marlot ! À part la mienne, il n'y a aucune communauté marlotte ! Qui que vous soyez, cessez de vous moquer de moi avant que je ne me fâche !

Harald, surpris par cette réplique, s'approcha un peu plus d'Ectar.

— Vous autres, allumez les flambeaux, dit-il à des serviteurs tapis dans l'ombre.

Une lumière diffuse éclaira bientôt la salle. Ectar, bouche bée, dut se rendre à l'évidence : il était bel et bien entouré de Marlots. Par ailleurs, il était nez à nez avec Harald qui le dévisageait furieusement. Ectar sentit que le cercle de la foule se resserrait autour de lui. L'ambiance se dégrada radicalement.

— Qui es-tu pour oser me parler ainsi ? Je suis né Marlot et je mourrai Marlot ! Notre cité existe depuis des centaines de saisons et elle a traversé des moments difficiles, mais elle a toujours su se relever ! Ton manque de respect ne peut être toléré ! Retire tes paroles avant que ce ne soit moi qui me fâche !

Devant tant d'éloquence, Ectar changea d'attitude. Il baissa les yeux au sol, exprimant ainsi son regret d'avoir insulté son hôte. Harald recula tranquillement sans toutefois lâcher Ectar du regard.

— J'ignore moi-même d'où tu peux bien sortir… Une chose est certaine, si tu cherches la Lignée Royale, tu n'es pas au bon endroit.

— Alors, dites-moi où je peux la trouver ! Je dois absolument obtenir son aide. C'est une question de vie ou de mort !

Harald jugea ces propos bien mystérieux. Curieux, le souverain décida d'inviter le nouveau Marlot à sa table pour faire connaissance. Malgré le temps qui pressait, Ectar se résigna à suivre Harald à travers les passages sinueux de cette cité souterraine. Jamais l'éclaireur n'avait vu un tel endroit et il n'y avait aucune ressemblance entre celui-ci et sa cité sculptée à même le roc. La ville d'Harald ressemblait plutôt à un amas de bois traversé de chemins tortueux et de grandes salles à aire ouverte. Il n'y avait là aucune fioriture, aucun souci du détail. Ectar s'accrocha même l'épaule à une racine qui dépassait du mur. Après quelques minutes de marche, le roi et son invité entrèrent dans une grande pièce où des tables étaient entassées les unes contre les autres. Des Marlots, déjà attablés, restèrent muets d'étonnement devant l'intrus. Harald désigna un siège à Ectar.

— Assieds-toi ici et commençons par le début. Tu dis venir d'une autre cité marlotte, c'est bien ça ? s'enquit le souverain.

— Oui, et j'ai parcouru une grande distance pour aller à la rencontre de la Lignée Royale. Ils sont les seuls à pouvoir nous venir en aide !

— Mais pourquoi recherches-tu ces créatures ? Elles sont indépendantes et narcissiques.

— Quoi ? Vous les connaissez ? Vous savez donc où je peux les trouver ? se réjouit déjà Ectar.

— Elles sont nomades, elles se déplacent constamment, mais je crois qu'elles traînent dans le coin depuis quelques semaines, répondit Harald comme s'il s'agissait là d'une banalité. Je doute cependant qu'elles souhaitent venir à ta rencontre.

— Pourquoi dites-vous cela ?

— Sachez simplement que nos civilisations sont en froid et que nous nous fréquentons très peu.

— Pourtant, je dois les trouver ! Sans les membres de la Lignée, nous ne pourrons pas vaincre les Trojas !

Les Trojas ! Ces mots firent taire tout le monde dans la salle. Puis les chuchotements reprirent de plus belle. Comme plus personne ne lui adressait la parole, Ectar perdit patience.

— Allez-vous cesser de chuchoter ainsi entre vous ? Je suis las de vous voir vous comporter de la sorte ! s'emporta-t-il en cognant du poing sur la table.

Harald, apparemment perturbé, prit quelques secondes pour trouver les mots justes.

— Tu as bien dit que les Trojas menaçaient ta cité ?

— Depuis l'automne, et lorsque le printemps arrivera, ils extermineront tous ceux que j'aime ! Je dois trouver la Lignée Royale !

— Même avec la Lignée Royale à tes côtés, les Trojas arriveront à leur fin ! prédit Harald, pessimiste.

— Que... Que dites-vous ? Vous condamneriez mon peuple aussi facilement ?

— Je le condamne du droit de celui qui connaît ton ennemi ! Nous le connaissons tous, car nous l'avons déjà combattu, il y a de cela plusieurs centaines de saisons ! répondit le souverain.

Déjà combattu ? Que signifiaient de pareils propos ? Les Trojas auraient-ils déjà attaqué la cité d'Harald ? Si tel était le cas, comment avait-elle fait pour survivre ? À moins que…

— Impossible ! s'écria Ectar, refusant la vérité qui s'imposait à son esprit.

— Je crois pourtant qu'il en est ainsi ! affirma Harald en dévisageant son invité.

Dans la salle, il n'y avait plus un son et pas même un mouvement.

— Vous n'êtes tout de même pas des survivants d'Ica, la cité que mon peuple a dû fuir il y a exactement mille saisons alors qu'elle était assiégée par…

— … les Trojas ! Oui, Ectar, nous sommes des descendants des habitants d'Ica ! annonça Harald tout aussi bouleversé.

Ectar, qui était parti à la recherche de la Lignée Royale, venait de faire une rencontre inespérée. Sans le vouloir, par pur hasard, il était tombé sur les fils et les filles de survivants de l'ancienne cité marlotte !

Harald avait une stature aussi imposante que celle du commandant Rufus et ses cheveux grisâtres trahissaient ses cinquante saisons. Souverain depuis le décès de son père il y avait une vingtaine de saisons de cela, il dirigeait habilement la petite cité de quelque trois cents âmes. Le mode de vie de ses habitants était très différent de celui du peuple d'Ectar.

— Il y a mille saisons, pendant l'invasion des Trojas, seuls quelques chanceux ont pu fuir Ica sans y laisser leur peau. La plupart étaient des soldats et ils ont dû apprendre à survivre dans un nouvel environnement, raconta Harald tout en sillonnant les couloirs de la cité souterraine.

Le roi expliqua comment son peuple avait découvert l'agriculture, rustique mais productive. Il expliqua aussi comment le fruit des récoltes était conservé durant tout l'hiver dans des salles dont les murs étaient tapissés de blocs de glace prélevés sur les lacs, un processus révolutionnaire…

— Et comment avez-vous fait pour construire une cité avec de si gros morceaux de bois ? demanda Ectar, intrigué par la structure de la ville.

— Nous n'avons rien construit, mon ami ! Nous cohabitons avec les castors de la rivière et nous avons développé avec eux une certaine complicité au fil du temps.

Ectar apprit que les castors étaient de nature sociable. Ils ne craignaient pas les Marlots et ils ne s'offusquaient pas de les voir se promener dans leur hutte. En échange de leur indulgence, les castors profitaient du don que possédaient les Marlots de flairer le danger. Ainsi, lorsque des prédateurs rôdaient, les castors étaient mis au courant et pouvaient se cacher. Bref, la cité marlotte d'Harald était un parfait exemple de coopération entre deux espèces.

— Lorsque nous voulons un peu de changement dans notre alimentation, nous pigeons dans la réserve toujours pleine à craquer des castors. Ils ne remarquent même pas notre passage ! dit Harald en pénétrant dans une immense salle où se trouvaient deux castors affairés à ronger un même morceau de bois.

Les deux Marlots finirent la visite de la hutte et Ectar fut étonné par le fonctionnement efficace des aires d'entreposage. Il confia à Harald que, dès son retour chez lui, il instaurerait ce système ingénieux dans les entrepôts.

— Vous êtes des descendants de soldats, donc vous devez faire l'élevage de moineaux ? s'enquit Ectar.

— Nous avons dû nous adapter en arrivant ici. L'absence de moineaux fait partie des obstacles qu'il nous a fallu surmonter. Quelques pionniers ont ainsi entrepris de domestiquer une autre espèce tout aussi intéressante : le gros-bec.

— Le gros-bec ?

— Eh oui ! Nous en avons une trentaine présentement. Ce sont des montures aussi fiables que les moineaux.

— Je n'ai pourtant vu aucun perchoir depuis le début de ma visite…

— C'est que nos gros-becs vivent en liberté dans la forêt ! Nous réussissons à les retenir dans le coin en les nourrissant grassement. J'irai te les montrer un peu plus tard !

Cette visite rappela à Ectar que son moineau était à l'extérieur depuis le début de la journée et il s'empressa de demander à Harald de remonter à la surface pour aller le retrouver. Le souverain acquiesça et l'éclaireur put rejoindre son moineau, toujours attaché à sa branche, affairé à donner de violents coups de bec à son entrave. Le soleil commençait à se coucher quand Ectar fit entrer, de peine et de misère, son oiseau dans la hutte obscure.

Lorsque vint le moment de se coucher, Harald installa Ectar et son volatile dans une chambre bien tiède. Malgré tout, Ectar ne trouva point le sommeil, ne pouvant s'empêcher de penser aux siens. Il imaginait ses amis et sa famille isolés dans la cité dans un désespoir grandissant. Il versa une larme, mais se ressaisit aussitôt.

— J'ai laissé mes doutes et mes faiblesses derrière moi ! se répéta-t-il tout comme il l'avait fait dans le clocher de l'église, avant que le harfang ne fonde sur lui.

Le petit matin arriva enfin et Ectar s'empressa d'aller à la rencontre d'Harald qui venait tout juste d'ouvrir l'œil. Affaibli par sa nuit blanche, l'éclaireur était non moins décidé à accomplir sa mission le plus rapidement possible. Aussi, il demanda à Harald de le conduire à la Lignée Royale.

— Tu en es certain ? demanda le souverain en bâillant.

— Oui, c'est la raison même de ma venue en ces lieux. La Lignée Royale est le salut de mon peuple. Conduisez-moi à elle sans plus tarder !

— Puisque telle est ta volonté, mon ami, je t'aiderai à trouver cette Lignée Royale. Toutefois, ne fonde pas trop d'espoir sur ses membres, car ils sont farouchement indépendants, l'avertit de nouveau le souverain.

Ectar se prépara néanmoins à partir, nullement tracassé par ce détail anodin à ses yeux. Il savait qu'en évoquant le traité que lui avait montré la reine Enia, il obtiendrait l'attention de la Lignée Royale. Le jeune Marlot sortit son moineau de la hutte avec facilité et ce dernier fit quelques prouesses dans les airs pour se dégourdir les ailes. La journée était radieuse et Ectar avait la certitude de parvenir à ses fins en peu de temps. Harald vint le rejoindre avec trois autres sujets. L'un d'eux siffla longuement en direction du ciel.

— Que fait-il ? s'enquit Ectar.

— Attends ! répondit Harald en lui faisant signe de se taire.

Ectar se demanda si on entrait en contact avec la Lignée Royale de cette façon, mais il réalisa vite que le sifflement servait à autre chose. En effet, le Marlot entendit venir au loin des oiseaux qui lançaient de petits cris stridents. Il jeta un coup d'œil vers Harald qui lui adressa un sourire. Les chants se faisaient de plus en plus bruyants et un gros-bec apparut, planant doucement au-dessus d'un groupe de sapins. Une trentaine d'autres le suivaient et, bientôt, tous vinrent se poser près du petit groupe de Marlots. Ectar n'en croyait tout simplement pas ses yeux !

Le gros-bec était un oiseau magnifique. Son corps était d'un jaune flamboyant et les extrémités de sa queue et de ses ailes, aussi noires que la nuit. Son bec était impo-sant comparativement à celui d'un moineau. C'était un animal robuste, mais également rapide et agile. *Quelle bête formidable !*

— Tu veux en monter un ? proposa une Marlotte à l'invité.

L'éclaireur résista à la tentation de conduire un gros-bec par crainte de vexer Steve. Les quatre cavaliers choisirent alors chacun une monture qu'ils semblaient reconnaître parmi les oiseaux agités. Harald avait le volatile le plus majestueux du lot, le seul digne de transporter un souverain.

Une fois les oiseaux choisis, le reste de la volée partit en pépiant.

— Nous commencerons par ratisser le nord de la forêt. C'est là que nous avons vu des membres de la Lignée pour la dernière fois, dit un Marlot à Ectar.

L'éclaireur s'empressa de monter sur son moineau et tous s'envolèrent sans plus attendre vers le nord. En volant aux côtés des gros-becs, Ectar ne pouvait s'empêcher d'admirer ces montures puissantes. Jamais il n'aurait imaginé qu'il était possible de domestiquer une telle espèce. Au bout d'une dizaine de minutes de vol, l'équipage atteignit une portion de la forêt où poussaient des pruches à profusion. Sur l'une d'elles, les Marlots se posèrent.

— Nous y sommes ? demanda Ectar.

— Aucune idée ! répondit Harald en observant attentivement les lieux.

— Aucune idée ? répéta l'éclaireur.

— D'après ce que tu m'as dit, ta reine t'a bien informé : ce sont eux qui viendront à notre rencontre et pas le contraire ! Le problème est que nous ne leur adressons plus la parole depuis déjà fort longtemps et j'ai bien peur qu'ils ne nous ignorent !

Ectar s'impatientait. Il était insupportable d'être à la fois si près et si loin du but. Les minutes ressemblaient à des heures et rien ne se passait. Harald ordonna alors d'aller un peu plus vers l'ouest où il avait cru apercevoir récemment un membre de la Lignée.

— On peut parfois détecter leur présence à un bruit étrange, à une ombre furtive… Je sais que tu dois trouver cela curieux, mais c'est ainsi que nous avons appris à les repérer.

En effet, Ectar trouvait cela très curieux, voire douteux. Le jeune Marlot craignait de ne jamais rencontrer la Lignée de cette façon. D'ailleurs, le groupe survola plusieurs secteurs de la forêt durant la matinée, sans résultat. Vers midi, l'équipage décida de regagner la hutte pour se reposer et se restaurer un peu. Ectar était très insatisfait du travail d'Harald et de ses hommes.

— Des ombres et des sons étranges ! marmotta-t-il tout bas en se posant près de la cité.

Le souverain invita le jeune cavalier à reprendre des forces à l'intérieur, mais ce dernier déclina l'offre. Ectar expliqua qu'il préférait faire un somme en forêt et poursuivre les recherches au plus vite. Le roi entra donc à l'intérieur de la hutte avec les autres membres de l'expédition tandis qu'Ectar s'envolait au loin.

L'éclaireur ignorait où aller et choisit, sur un coup de tête, de retourner vers les secteurs qu'il avait déjà visités. Il lui semblait qu'il fallait tout reprendre depuis le début. Ainsi, il se posa sur le même arbre qu'au matin et descendit de sa monture. Le temps était de plus en plus doux et Ectar savait trop bien ce que cela signifiait.

— Sous peu, le printemps arrivera, animant la fureur des Trojas !

Les rayons de soleil étaient chauds et ils avaient commencé à faire fondre la neige au pied des arbres. Les journées froides qu'Ectar avait dû affronter pour arriver en ces lieux étaient bel et bien chose du passé et un vent agréable lui caressait maintenant le visage. Appuyé contre le tronc de l'énorme pruche, Ectar somnola quelques minutes jusqu'à ce que Steve sursaute. Alerté, Ectar bondit sur ses jambes et observa la forêt soudainement silencieuse.

Le moineau s'envola vers la cime de l'arbre, laissant une fois de plus son maître derrière lui. L'éclaireur savait que cela ne présageait rien de bon. Il se rappelait bien l'épisode du harfang des neiges qu'il avait réussi à fuir de justesse. Ectar appela son moineau, mais ce dernier l'ignora totalement. La forêt lui parut menaçante. Puis il entendit un bruit au loin et vit une ombre. *La Lignée Royale !*

— Harald avait donc raison !

Le petit éclaireur prit son courage à deux mains et appela ceux qu'il voulait rencontrer.

— Membres de la Lignée Royale, je suis venu de loin pour implorer votre secours ! cria-t-il.

Le silence enveloppait toujours les lieux et aucun mouvement n'était perceptible. Ectar répéta néanmoins son message. Rien ne se produisit. Au bout d'un moment, le Marlot se rendit à l'évidence :

— Ils ne sont même pas ici ! Idiot que je suis d'avoir imaginé le contraire ! se blâma-t-il.

Steve rejoignit son maître qui, à ce signe, comprit que plus rien ne devait déranger la quiétude de la forêt. Ectar gratta son destrier ailé sous le bec lorsque, tout à coup, ce dernier se raidit.

— De quel secours as-tu besoin? demanda une voix.

Chapitre 16

Printemps
Mauricie

— Viens m'aider à mettre la table ! ordonna Anne à Edward affairé sur l'ordinateur.

La mère et le fils, à ma grande joie, continuaient de venir chez moi malgré le départ d'Ectar dont je n'avais plus aucune nouvelle depuis des jours. Je regrettais parfois de l'avoir laissé partir ainsi, mais j'avais la certitude, tout au fond de moi, qu'il allait bien. Cependant, j'attendais son retour chaque matin et ne pouvais m'empêcher de boire mon premier café de la journée en m'installant au bord de la fenêtre et en scrutant l'horizon. Chaque moineau que j'apercevais me donnait un élan d'espoir aussitôt déçu.

Pour me changer les idées, Anne m'avait apporté une multitude d'ouvrages anciens reliés aux contes de fées et nous y relevions les passages susceptibles d'avoir été inspirés par l'univers d'Ectar. D'un bouquin à l'autre, Anne et moi devenions plus complices : ce qui avait débuté comme un projet de recherche devint pour moi un passe-temps en agréable compagnie.

La jolie bibliothécaire me fit remarquer que les auteurs qui apparemment avaient décrit le monde marlot dans leurs récits fantastiques habitaient différentes parties du globe. Anne en concluait que des communautés marlottes, voire des membres de la Lignée Royale, existaient en dehors de notre région.

— C'est indéniable, disait-elle. Prends, par exemple, ce récit japonais sur les Tengus, ces petits êtres ailés à la fois sages et guerriers redoutables. Ils ressemblent indéniablement à la description qu'Ectar nous a faite des membres de la Lignée Royale…

— Il va bien ! Il va bien ! l'interrompit Edward en surgissant dans la cuisine.

— Mais qu'est-ce que tu dis là ? De qui parles-tu ? lui demanda Anne, interloquée.

— Ectar ! Il va bien ! précisa le gamin.

— Quoi ? m'empressai-je d'intervenir.

Edward nous poussa alors jusqu'à mon bureau, devant mon ordinateur avec lequel il surfait sur Internet depuis la dernière heure. Il nous montra la page personnelle d'un ornithologue qui prétendait avoir vu, sur ses mangeoires, un petit rat chevauchant un moineau.

— Tu as raison ! s'exclama Anne. Ça ne peut être qu'Ectar !

— Mais que faisais-tu sur ce genre de site ? demandai-je au gamin dont je connaissais les préférences pour les sites comiques.

— Erreur de frappe ! dit-il tout simplement en nous montrant la page.

Sur l'écran nous pûmes lire :

Chers amis,
Aujourd'hui, j'ai eu l'incroyable surprise
d'apercevoir un rat dans ma mangeoire
aux côtés d'un simple moineau.

— Simple moineau ! Ectar n'aimerait pas entendre cela ! dis-je en ricanant et en poursuivant ma lecture.

Je me suis empressé de chasser cette
vermine et vous ne devinerez jamais la
suite des événements : le rat a sauté sur
le pauvre moineau avant qu'il ne s'envole !

J'espère que ce maudit rongeur est mort
à l'heure actuelle et qu'il ne reviendra
plus embêter mes nobles invités.

— Comment ose-t-il souhaiter la mort d'Ectar ? m'emportai-je.

— Au moins, dis-toi que le *rat* semble toujours en pleine santé ! répondit Anne en tentant de me calmer.

Elle avait tout à fait raison. Ectar avait apparemment réussi à fuir les lieux indemne. C'était tout ce qui importait. En regardant son compteur de visites, je compris que l'ornithologue ne ferait pas les manchettes avec sa nouvelle plutôt inhabituelle. Pour m'en assurer, je lui écrivis un message qui suggérait que le rat devait avoir la rage et qu'il devait être mort quelque part dans un champ.

— Beuh ! ajouta Edward, dégoûté par mon commentaire.

Jouant de la souris, le gamin réussit à trouver l'adresse de l'ornithologue et la date de sa rencontre avec Ectar. Grâce à ces données, je sus que le voyage de mon ami se déroulait quand même plutôt bien.

— Une nouvelle entrée vient d'être ajoutée au blogue ! observa Anne.

Ma petite sœur et moi avons été attaqués par le rat et l'oiseau pendant que nous jouions dans la grange de mon grand-père!

— Quoi ? m'étonnai-je. Comment ce morveux peut-il prétendre une chose semblable à propos d'Ectar ?

En lisant plus attentivement ce commentaire, nous comprîmes que cet événement s'était produit le lendemain de l'épisode de la mangeoire, dans un village voisin. Nous fûmes très contents de savoir qu'il nous était possible de suivre ainsi les progrès d'Ectar depuis le confort de mon salon. Heureusement, nous étions les seuls à connaître la vraie nature du *petit rat volant*.

Le reste de la soirée se déroula dans le calme. Aucun autre commentaire ne parut sur le site de l'ornithologue. Le nombre de ses visiteurs n'augmenta que très peu, ce qui nous rassura tous. Edward finit par délaisser l'écran d'ordinateur pour feuilleter des revues qui traînaient ici et là dans la maison. De son côté, Anne lisait un ouvrage sur la mythologie scandinave.

— Savais-tu que les elfes appartiennent à la culture scandinave ? me demanda-t-elle en ne levant pas les yeux de son livre.

221

— Oui, un ami à moi est spécialiste de la culture viking, lui précisai-je, plongé dans mes propres lectures.

— Et savais-tu qu'une présidente islandaise a déjà affirmé que l'inexistence des elfes n'avait jamais été prouvée, tout comme celle de Dieu? Il y a encore aujourd'hui des gens qui croient en la possibilité que les elfes existent! continua-t-elle.

— Vraiment? Une présidente a dit ça?

— Robert! Robert! C'est toi? nous interrompit Edward assis près du foyer.

Le garçon était plongé dans un album de photos vieux de quelques décennies. Je m'approchai de lui, curieux de voir les clichés qui, à leur façon, racontaient l'histoire de ma famille. Edward était en train de rire d'une photo sur laquelle un vieil homme me montrait à pêcher. Elle avait dû être prise alors que j'avais à peu près l'âge d'Edward. Ce dernier prenait un malin plaisir à rire de mon accoutrement de l'époque.

— C'est qui le monsieur avec toi? s'informa-t-il.

— Edward! répondis-je tout de go.

— Hein?

— Tu ne te souviens pas? Je t'ai déjà
dit que tu t'appelles comme mon grand-
père, ajoutai-je en faisant allusion à l'une
de nos premières rencontres.

Je lui expliquai que, chaque été, mon
grand-père et moi allions à son lac, dans le
nord de la région, sur le chemin de La
Tuque, pour y pêcher la truite. Le lac familial
était petit, mais le poisson y était abondant.
Mes plus grandes aventures s'étaient d'ailleurs produites à cet endroit. Je saisis alors
la photo pour montrer à mes visiteurs les
particularités du paysage.

— J'ai déjà sauté en bas d'un plateau
de cette falaise-là pour impressionner une
cousine! dis-je fièrement en montrant du
doigt la paroi rocheuse d'une hauteur impres-
sionnante qui surplombait l'étendue d'eau.

— Tu étais fou!

— En effet! On m'a privé de baignade
durant tout l'été pour me faire payer ma
bêtise!

Je feuilletai avec Anne et Edward le reste
de l'album et je partageai avec eux mes
souvenirs. Le feu crépitait et nous nous
endormîmes tous devant le foyer, épuisés

par notre journée. Je fis un rêve qui me ramena au lac de mon grand-père. Des truites immenses sautaient hors de l'eau pour capturer des moustiques et toute ma famille était présente, occupée à pêcher. Je m'amusais autour de l'étendue d'eau. J'admirais les alentours… Puis je me réveillai en sursaut. *La forteresse des Marlots…* Je saisis immédiatement mon album de photo. *Pourquoi n'y ai-je pas pensé plus tôt?* La falaise abrupte surplombant le lac, la forêt s'étendant à perte de vue… Tout y était!

— Je sais où se trouve la cité marlotte!

Chapitre 17

Printemps
Dans la forêt de pruches

Ectar perdit pied et piqua vers le sol où une mort certaine l'attendait. Il tenta vainement de ralentir sa chute en s'agrippant à de petites branches. Il se prépara au choc. Son corps entier se raidit. Il ferma les yeux. Puis, contre toute attente, il sentit quelque chose, *quelqu'un,* l'empoigner, l'immobiliser dans les airs et le déposer délicatement par terre.

Il aperçut alors à ses côtés une créature tout aussi délicate que lui, mais pourvue de deux grandes ailes qui dépassaient de son dos. Ectar réalisa aussitôt qu'il avait atteint son but.

— Tu n'as rien, au moins ? J'ai fait mon possible pour ne pas trop t'abîmer ! dit l'inconnu.

Ectar jubilait d'avoir enfin trouvé un membre de la Lignée Royale. Toutefois, il était intimidé par cet être mythique dont il avait entendu parler durant sa jeunesse. En voir un, en chair et en os, le rendait muet de stupéfaction. *La Lignée Royale ! C'est un membre de la Lignée Royale ! Je dois livrer mon message !*

L'éclaireur toussota et sa gorge se dénoua suffisamment pour laisser échapper quelques mots.

— Je… Je vais bien ! bégaya-t-il en dévisageant son sauveur.

— Merveilleuse nouvelle ! se réjouit le nouveau venu.

La créature aida Ectar à secouer ses vêtements recouverts de neige. Steve en profita pour rejoindre son maître et se poser près de lui, comme si de rien n'était.

— Je n'avais jamais vu un Marlot monter un moineau avant aujourd'hui. Les anciens en parlaient, mais tous doutaient de leurs dires à ce sujet. J'ai maintenant la preuve qu'ils étaient moins gâteux que ce que nous avions cru ! lança le personnage ailé en observant le duo.

Ectar ne pouvait s'empêcher d'admirer le petit ange qui se tenait fièrement devant lui. Il était jeune et ses cheveux châtains tombaient sur ses épaules. Il ressemblait à un Marlot, mais ses oreilles étaient plus fines. Ses vêtements étaient aussi jolis que ceux de la reine Enia et ses ailes, faites de plumes blanches, le rendaient tout simplement divin ! Ce membre de la Lignée Royale correspondait parfaitement à l'image qu'Ectar s'en était fait. L'éclaireur avait l'impression de rêver.

— Tu as perdu ta langue pendant ta chute, jeune Marlot ? ironisa l'être ailé.

— Non, je l'ai toujours ! réussit à répondre Ectar.

— Heureusement ! Tu pourras ainsi m'expliquer pourquoi un Marlot veut nous rencontrer après tant d'années de conflits entre nos deux peuples !

Ectar ne savait par où commencer ni comment aborder le sujet. Il n'avait jamais pensé devoir exposer les raisons de sa venue au milieu de la forêt. Aussi, il redoutait de ruiner son unique chance de s'adresser à un membre de la Lignée. Il se gratta la tête avant de s'exprimer nerveusement :

— J'ai parcouru une très grande distance pour venir vous rencontrer. J'ai risqué ma vie à de nombreuses reprises pour vous demander une aide que vous seuls pouvez offrir à mon peuple.

— Continue…, dit le Sang Royal, intrigué.

— Mon peuple est en danger de mort et ma reine m'a envoyé vers vous pour que vous deveniez nos alliés dans une guerre qui, peut-être, gronde déjà ! Elle m'a montré un ancien traité dans lequel vous vous engagiez à nous prêter secours en situation de crise. Or, nous sommes présentement en grand danger. Notre survie dépend de vous.

La créature royale resta silencieuse devant ce discours inattendu. Elle n'avait pas imaginé que ce Marlot était le dépositaire d'un message aussi important. Comme tous ceux de son espèce, elle se souvenait du traité, mais elle ne croyait plus à sa valeur depuis longtemps… Finalement, pour toute réponse, le Sang Royal agrippa fermement l'éclaireur et s'envola avec lui sur son dos. Sans avoir eu le temps de se rendre compte de ce qui lui arrivait, le jeune Marlot vit défiler le paysage sous lui. Il ignorait totalement où pouvait le transporter la créature ailée.

Le Sang Royal était fort habile en vol et se faufilait aisément entre les nombreuses branches sur son chemin. Le poids de son passager ne semblait nullement l'affecter et ce n'est qu'après une course folle à travers la forêt que la créature se posa enfin dans une petite clairière entourée d'érables matures. Ectar retrouva le sol avec plaisir et se remit de ses émotions. Quelques secondes plus tard, pour sa plus grande joie, il vit arriver son moineau. *Steve!*

La créature royale semblait maintenant ne plus faire de cas du Marlot, qui lui ne comprenait goutte à ce qui se passait. Pourquoi l'avait-elle transporté dans ce coin reculé de la forêt alors que rien ne semblait s'y trouver? Quand Ectar fut sur le point de le questionner, le Sang Royal lui fit signe de se taire et lui demanda tout simplement d'être patient. Or, cette patience fut récompensée. Bientôt, Ectar fut entouré de membres de la Lignée qui vinrent se poser tranquillement un peu partout. Il y avait là une centaine de Sangs Royaux, tous avec

des cheveux châtains et des ailes blanches.
Un moment magique.

Les créatures ailées observaient Ectar à
distance, perchées dans les arbres environ-
nants. Quelques-unes s'approchèrent du
Marlot sans toutefois lui adresser la parole.
Des murmures se faisaient entendre, mais
le groupe semblait attendre quelque chose
avant d'engager la conversation avec le
messager marlot. Soudain, tous les membres
de la Lignée s'inclinèrent solennellement
sur le passage de l'un des leurs.

— Atius! murmura une créature en
voyant arriver le nouveau venu.

Ectar devina qu'il s'agissait du roi de
cette communauté ailée. Le souverain se
posa doucement au centre de la clairière. Un
genou en terre, le Sang Royal qui avait
découvert Ectar baisa la main de son chef
avant de lui rapporter les propos du
messager. Le roi remercia son sujet et se
dirigea vers Ectar qui ne pouvait s'empêcher
de trembler.

— Selon les dires de mon fils Ellius, tu
es venu de loin pour nous rencontrer. Il y
a bien des saisons que je n'ai adressé la
parole à un membre de ton espèce! Après

la destruction d'Ica, des Marlots survivants nous ont reproché de ne pas avoir combattu avec eux. L'amitié entre nos deux peuples s'est alors effritée peu à peu pour faire place à la rancune. Aujourd'hui, il n'en reste que des souvenirs. Et malgré cela, te voilà réclamant notre aide !

Ces mots avaient été prononcés avec force et confiance, sans la moindre hésitation. Le roi s'approcha d'Ectar qui ne pouvait soutenir son regard intimidant.

— Je n'étais pas au courant que d'autres Marlots avaient pu fuir Ica et former une nouvelle colonie plus au nord. Tu me surprends énormément en te présentant ici, devant moi, je dois te l'avouer !

Atius observait silencieusement l'éclaireur. Celui-ci tentait de se donner une contenance avant de prendre la parole. Il devait convaincre le souverain Atius de l'épauler dans sa croisade contre les Trojas.

— J'ai quitté mon royaume en acceptant le lourd fardeau d'assurer sa survie. L'ennemi menace d'anéantir tout ce que j'aime et ma reine m'a envoyé à vous pour que revive le traité qui nous unissait jadis, un traité qui…

— … stipule que nous devons nous unir contre les Trojas ! Je connais ce traité ! l'interrompit le roi.

S'il reconnaît l'existence du traité, c'est qu'il a l'intention de l'honorer. Atius venait de donner un souffle d'espoir au Marlot jusque-là tourmenté.

— Donc, vous acceptez de nous venir en aide, continua Ectar, emballé.

— Ce n'est pas si simple, mon jeune ami ! ricana le roi. Nous avons combattu ces démons pendant des milliers de saisons et nous avons, hélas, essuyé de lourdes pertes parmi nos guerriers. Notre peuple a beaucoup souffert de ces combats. Reprendre la bataille contre les Trojas est une décision lourde de conséquences.

— Mais le traité ! Vous y promettez d'être nos alliés ! Aidez-nous à anéantir ces monstres une fois pour toutes ! Ensemble, nous les vaincrons ! plaida Ectar, anxieux.

— Je comprends ta situation, jeune Marlot. Toutefois, suivant notre tradition, il ne me revient pas d'entraîner les miens dans une telle aventure.

— Alors, qui décidera ? Qui ? interrogea Ectar, désespéré.

Sans faire attendre davantage le jeune messager, Atius poussa un puissant cri vers la foule toujours silencieuse. Il semblait appeler quelqu'un. *Peut-être appelle-t-il celui qui est habilité à lancer son peuple dans la bataille.* Ectar vit alors arriver au loin deux Sangs Royaux qui en transportaient une autre, vraisemblablement trop faible pour voler. *Qui est-ce ?*

La créature infirme fut déposée près du Marlot effrayé par son apparence hideuse. C'était une Sang Royal, sans aucun doute, mais elle semblait très vieille et en piteux état. De nombreuses rides déformaient son visage et ses pupilles étaient couvertes d'un voile qui devait la rendre aveugle. En outre, elle dégageait une odeur répugnante, une odeur de putréfaction. La pauvre Sang Royal huma soudainement l'air à pleins poumons tout en rampant, tel un insecte, vers le Marlot apeuré. Ectar voulut reculer, mais Ellius le projeta par terre où il le retint fermement.

— Laisse l'Ange de la Mort examiner tes pensées ! dit Ellius pour rassurer le Marlot. Elle seule peut te venir en aide dans ta quête.

L'Ange de la Mort vivait depuis des centaines de saisons et refusait obstinément de mourir. Ses dons étranges lui permettaient de repousser son heure et de lire dans les âmes des mortels. Depuis longtemps, la Lignée confiait à cette aïeule les décisions les plus importantes et Atius se soumettait aveuglément à son jugement. L'Ange de la Mort savait tout, l'Ange de la Mort voyait tout !

— Hum ! Un Marlot ! constata-t-elle en agrippant les mains d'Ectar plaqué au sol. Jeune, fort, en santé... Un éclaireur ! Le meilleur, d'ailleurs !

Ectar sursauta. *Comment a-t-elle deviné ?* L'Ange toucha le front d'Ectar qui suait abondamment et elle tenta de lire ses pensées. *Mais qu'est-ce qu'elle fait ?*

— Une importante mission ! Une reine ! Un peuple en danger ! balbutia-t-elle. Je vois de la peur, de la détresse dans ton esprit. Les Trojas menacent toujours ta cité et, bientôt, ce sera la fin de tous ceux que tu chéris ! prédit-elle froidement.

— Bientôt ? répéta Ectar, horrifié, avant qu'Ellius ne l'intime au silence.

Interrompue, l'Ange de la Mort cessa de bouger. Ectar s'en voulut aussitôt d'avoir parlé. La créature ferma alors les yeux et son souffle fétide s'arrêta. *Je l'ai tuée ?* La foule, habituée à ce spectacle, ne semblait pas perturbée par ce phénomène étrange. Le silence régna encore durant quelques secondes qui semblèrent interminables au Marlot. Puis l'Ange se réveilla en sursaut et en poussant un cri sauvage qui glaça le sang de toutes les personnes présentes. Le roi Atius se précipita alors vers l'aïeule. Il posa ses mains sur le front plissé de la créature. Il ferma les yeux. L'Ange semblait lui parler, mais aucun son ne sortait de sa bouche. Ectar ignorait que l'aïeule avait le pouvoir de communiquer ainsi par la pensée. Au bout d'un moment, le souverain se releva, le torse bombé, prêt à dévoiler la décision de l'Ange de la Mort.

— L'Ange a tout entendu, l'Ange a tout vu ! annonça-t-il à la foule impatiente. Nous avons cru pendant longtemps avoir semé les Trojas, mais voilà qu'ils réapparaissent aujourd'hui en menaçant d'anciens alliés, d'anciens amis qui feraient tout pour nous venir en aide si nous en avions besoin !

Moi, Atius, souverain de la Lignée Royale, annonce que nous irons à la…

L'Ange reprit tout à coup connaissance.

— … GUERRE!

Chapitre 18

Au même instant
Dans la forteresse marlotte

La cité semblait abandonnée. Seuls les cris des moineaux prisonniers de leur perchoir se faisaient entendre dans la ville fantôme. Plus aucun Marlot ne se promenait sur la place centrale. Les habitants déprimés préféraient rester chez eux avec leurs proches. Le peuple marlot en entier attendait la mort.

La famille de la première victime de cette guerre, le soldat qui s'était sacrifié pour bloquer le passage aux Trojas, était toujours en deuil. Guliaf avait pris soin de rapporter les dernières paroles du héros, tel que promis : « Je vais les empêcher de détruire tout ce que j'aime ! » Guliaf se sentait responsable de la mort du soldat car, après tout, il avait creusé le passage maudit.

237

Depuis, de peur d'empirer les choses, tous les travaux d'excavation avaient été abandonnés.

— Nous nous battrons jusqu'à la fin ! affirmait le commandant Rufus qui croyait encore à la victoire et tentait d'en convaincre les Marlots réunis dans l'appartement de la reine.

Guliaf assistait maintenant régulièrement aux réunions organisées par la souveraine Enia. L'attaque ennemie était attendue d'un jour à l'autre et personne ne savait comment y faire face.

— Nous ne quitterons pas ce monde sans vendre chèrement notre peau ! continua Rufus en frappant du poing sur la table.

Le commandant était outré par le comportement de la reine et de ses conseillères qui semblaient déjà vaincues. Il entraînait son armée depuis tellement de saisons ! Ses soldats étaient prêts. La reine devait leur inspirer force et courage.

Malheureusement, après avoir essuyé autant de revers, la souveraine se sentait désemparée. Ses conseillères, malgré leur érudition, paraissaient, elles aussi, résignées au pire.

— Battons-nous ! s'énervait toujours Rufus en se levant brusquement de sa chaise.

L'imposant soldat commença alors à tourner autour de la table en secouant les Marlots passifs qui s'y trouvaient. Personne ne réagit aux provocations du soldat. Tous restèrent de glace. Le commandant s'immobilisa alors derrière le jeune éclaireur jusque-là silencieux et lui asséna un coup vif derrière la tête, du revers de la main. Surpris, Guliaf se leva aussitôt, prêt à foncer sur son agresseur arrogant.

— Voilà ! C'est exactement cette attitude que je veux voir ! Vous voyez Guliaf ? Il est toujours en vie, prêt à se défendre ! Prenez exemple sur lui ! dit-il en montrant du doigt l'éclaireur.

— Il y a une différence entre vous et un Trojas ! fit remarquer une conseillère hautaine.

— Une différence ? En quoi devrait-il y avoir une différence ? Croyons profondément en nos chances de réussite et nous triompherons ! clama le commandant.

La reine, qui était silencieuse depuis le début de la réunion, enviait la fougue de Rufus.

— Avez-vous un plan, commandant, pour être aussi optimiste ? demanda-t-elle.

Le commandant bondit sur la table et dégaina son épée. Il prit le temps de pointer du bout de sa lame chaque Marlot avant d'expliquer :

— Nous combattrons jusqu'à la fin ! Les Trojas qui oseront entrer dans la cité s'attendent à se heurter à nos soldats, mais ils ne s'attendent pas à devoir lutter contre un peuple entier prêt à mourir pour ce qu'il aime ! L'amour les repoussera ! L'amour ! cria-t-il tellement fort que même les Marlots dans leurs logis l'entendirent.

Le commandant commença alors à marteler la table du pied tout en invitant les autres à le rejoindre pour en faire autant.

— Nous ferons face tous ensemble, comme un seul et même être redoutable avec un seul et même cœur. Ce cœur, c'est vous, et le voici qui bat ! Écoutez-le !

Sans relâche, Rufus continua de frapper violemment du pied la surface de bois. Encouragé, Guliaf se joignit au commandant en sautant sur la table, à la grande joie de ce dernier. Les deux Marlots se tinrent par les épaules et tapèrent du talon de plus belle.

— Ensemble, nous avons une chance d'y arriver ! clama le commandant Rufus, déchaîné.

L'un après l'autre, chaque individu se trouvant autour de la table se laissa gagner par l'assurance du soldat. Tous se mirent à cogner fermement du poing sur le meuble et la reine finit, elle aussi, par ressentir cet élan d'espoir. *BANG ! BANG ! BANG !* Le vacarme résonna dans toute la cité et, bientôt, tous les habitants qui se terraient chez eux répondirent à cet appel aux armes en tapant des mains et des pieds.

— Victoire ! Victoire ! Victoire ! répéta le commandant alors que la cité reprenait enfin vie.

« Victoire ! Victoire ! Victoire ! Victoire ! Victoire ! Victoire ! » pouvait-on entendre partout.

La ville tremblait sous les acclamations du peuple. Les coups et les cris des habitants résonnaient dans toute la cité dont les parois vibraient. Tout à coup tomba un caillou jusque-là coincé dans le puits de lumière. Un rayon de soleil s'engouffra dans l'interstice. Il frappa la surface glacée de la place publique et la cité s'illumina partiellement.

Voyant la scène par la fenêtre, le commandant s'adressa à la reine :

— Croyez-vous enfin en nos chances de vaincre les Trojas ?

« Victoire ! Victoire ! Victoire ! Victoire ! Victoire ! Victoire ! »

Enia dévisagea son chef de guerre avec un regard dans lequel brillait maintenant une lueur d'espoir semblable à celle qui éclairait désormais la place publique.

— Jusqu'à la fin ! Nous nous battrons jusqu'à la fin, commandant Rufus ! Aux armes ! Aux armes ! ordonna la souveraine de nouveau confiante.

Dans la cité marlotte, l'espoir venait de renaître.

Chapitre 19

Printemps
Territoire de la Lignée Royale

La décision de l'Ange de la Mort fut acclamée par tous. Les Sangs Royaux, qui jusque-là avaient été si discrets, manifestèrent avec exubérance leur hâte de combattre les Trojas. Il faut dire que certains guerriers se souvenaient encore des dernières batailles livrées contre ces monstres et il leur tardait de se venger. Tous comptaient bien anéantir à jamais les Trojas assoiffés de sang.

L'aïeule fut raccompagnée chez elle. Il lui faudrait des jours pour se remettre des dernières minutes qui venaient de s'écouler. Elle avait réussi à lire dans les pensées d'un étranger et elle avait décidé d'envoyer toute une population à la guerre. Cette fois, la défaite n'était pas envisageable, car elle entraînerait la disparition définitive de la Lignée Royale.

— Nous partirons demain à l'aube, cher Marlot ! Nous n'avons pas une seconde à perdre ! annonça Atius en songeant déjà aux préparatifs.

Ectar allait enfin pouvoir retourner chez les siens après tant de mois passés loin d'eux ! Il avait tellement espéré ce moment qu'il en était bouleversé. Il versa une larme en souhaitant rejoindre à temps sa cité, avant que les Trojas ne l'envahissent. Ellius sentit le trouble de l'éclaireur et tenta de le réconforter en lui promettant la victoire.

— Est-ce que ton royaume te man-quera ? l'interrompit Ectar, conscient de la grandeur du sacrifice qu'Ellius se préparait à faire pour sauver le peuple marlot.

— Royaume ? Nous, la Lignée Royale, formons un peuple nomade qui se déplace constamment. Le seul royaume de la Lignée Royale se trouve dans chacun de nos cœurs. Ma cité, c'est ici qu'elle se trouve ! affirma Ellius en se tapant la poitrine.

Ectar sourit aux propos du jeune héritier. Il réalisa du même coup la chance incroyable qu'il avait eue de rencontrer ce peuple pratiquement invisible. Grâce à la vivacité d'esprit d'Harald qui l'avait mené au bon endroit, Ectar avait réussi à trouver des alliés de taille, prêts à combattre l'ennemi qui menaçait les Marlots. Le jeune éclaireur se promit de retrouver Harald dès que la guerre serait gagnée pour le remercier de tout ce qu'il avait fait. *Quelle joie aura mon peuple en apprenant que d'autres Marlots ont survécu à la Grande Guerre d'Ica !* songea Ectar.

Alors que le jeune Marlot rêvassait en imaginant les deux cités marlottes réunies en une seule, Ellius le secoua en pointant l'index vers le ciel. L'héritier désignait ainsi une volée de bernaches migratrices qui revenaient hâtivement des pays chauds. Ectar ne comprit pas pour quelle raison ce spectacle semblait épater Ellius. Ce dernier s'éleva alors dans le ciel et invita Ectar à l'y rejoindre avec Steve. Alors que le Marlot montait sur son moineau, l'héritier souffla dans une sorte de petit cor pendu à sa ceinture.

— Quelle chance ! Voilà notre vaisseau pour ton royaume ! s'enthousiasma Ellius en s'éloignant de plus en plus.

Ectar vit alors surgir des arbres tous les autres Sangs Royaux qui se dirigèrent, eux aussi, vers la formation de bernaches. Sans plus attendre, Ectar prit place aux côtés de ses alliés dans le ciel bleu.

— Pourquoi les prends-tu en chasse ? Elles sont cent fois plus grosses que nous ! s'enquit Ectar, inquiet.

— Elles sont aussi plus endurantes et plus rapides que nous ! précisa l'héritier en souriant.

Les membres de la Lignée Royale fonçaient droit vers la quinzaine d'outardes qui volaient en V. Lorsque les oies sauvages sentirent que les petits êtres ailés se rapprochaient, elles accélérèrent la cadence.

— Nous devons les intercepter ! Le seul moyen de les contrôler est de s'agripper à leur tête. Tu en prends une et tu l'obliges à se poser dans la clairière en dessous de nous ! expliqua Ellius, excité par les événements.

— Les intercepter ! Mais je ne sais pas conduire ça, moi ! s'exclama Ectar.

Les bernaches prenaient de l'altitude et les Sangs Royaux souffraient du manque d'oxygène. Néanmoins, ils réussirent à se rapprocher de leurs proies qui fuyaient à toute vitesse. Ectar vit alors un Sang Royal se poser en catastrophe sur le corps de la bernache de tête. Le petit être ailé escalada ensuite difficilement le dos et le long cou de la bête pour finalement s'installer derrière sa tête. Ectar put le voir s'accrocher au duvet de l'outarde qui changea aussitôt de cap pour amorcer une descente vers la clairière.

Les autres Sangs Royaux se ruèrent de la même manière sur les bernaches maintenant affolées. Seule la moitié des êtres ailés parvinrent à se poser sur le dos d'un oiseau. Ectar tenta sa chance avec le premier animal à sa portée. En dirigeant habilement son moineau, il s'approcha suffisamment de la bernache qui se trouvait à la queue de la formation. Toutefois, lorsque vint le moment de sauter sur le dos de l'oie, un vertige fit hésiter le Marlot. L'opération se déroulait à une très haute altitude et Ectar savait que s'il ratait son saut, il aurait peu de chances de rattraper son moineau avant de s'écraser au sol.

Ellius, quant à lui, saisit assez aisément le cou de l'oiseau se trouvant juste devant celui d'Ectar. Une capture facile. Cet exemple redonna courage au Marlot. Il plongea sur le dos de l'immense bernache qu'il convoitait. Ectar roula malgré lui sur le flanc de l'animal et s'agrippa de justesse à l'aile de la bête. Poussé par l'adrénaline, il se hissa jusqu'au cou de l'oie. L'outarde réalisa simultanément qu'Ectar se trouvait sur elle et qu'elle n'y pouvait plus rien. Le jeune éclaireur agrippa fermement le duvet de sa nouvelle monture. *Ça doit se contrôler comme un moineau !* se dit-il nerveusement.

En tirant d'une main ferme sur le duvet, à sa grande joie, Ectar réussit à diriger l'oie sauvage. Il parvenait à diriger la bernache aussi habilement qu'il dirigeait Steve. Il fit alors un lent demi-tour pour suivre les autres Sangs Royaux qui volaient sur leur propre monture vers la clairière. Tour à tour, ils amenèrent les outardes à se poser au sol. Une fois les volatiles immobilisés, leurs pattes étaient ligotées. Ainsi, les oies ne pouvaient prendre leur élan pour se sauver. Ectar se posa sans problème, soulagé, et il put enfin se remettre des émotions intenses qu'il venait de vivre.

— Très belle prise ! le félicita Ellius.

— Toute une expérience ! répondit Ectar en s'essuyant le front.

Les quinze oies sauvages avaient été capturées. Depuis des temps immémoriaux, les Sangs Royaux utilisaient les bernaches pour traverser de longues distances. C'était un moyen efficace de se déplacer sans effort et de transporter du matériel. Aujourd'hui, les outardes permettraient aux Sangs Royaux de se rendre au combat. Capturer ces oiseaux en temps de guerre était une chance inouïe !

Chapitre 20

Printemps
Mauricie

Le soleil venait tout juste de se lever, mais nous étions tous réveillés depuis plus d'une heure. Je regardais la photo prise durant mon enfance, au lac de mon grand-père. J'étais de plus en plus convaincu que je ne me trompais pas. Je n'y avais peut-être jamais vu un Marlot, mais je savais que ceux-ci nous évitaient.

Chose certaine, le paysage autour de ce lac était bel et bien celui décrit par Ectar, celui du lieu même de la cité marlotte.

— N'oublie surtout pas les raquettes ! me rappela Anne qui remplissait la glacière de sandwichs et de jus de fruits.

Je lui montrai aussitôt les trois paires de raquettes que j'avais été récupérer dans ma cave où elles prenaient la poussière depuis mon emménagement.

— Elles sont laides ! Elles ne sont même pas *high-tech* ! se plaignit Edward.

— Laides ? Elles sont en babiche ! Moi, je trouve cela très beau !

Edward, habitué aux raquettes en plastique, se contenta de lever les sourcils. Depuis que je lui avais annoncé ma découverte à la suite de mon rêve, il ne tenait plus en place. Ceci d'autant plus que j'avais décidé, dès mon réveil, que nous irions tous au lac de mon grand-père dans la journée. J'interprétais mon rêve comme une sorte de prophétie, un chemin à suivre et, même si je m'étais promis de ne pas intervenir dans la vie des Marlots, je ne pouvais m'empêcher de vouloir les aider à vaincre les Trojas.

— Il s'agit d'un de ces trois lacs, j'en suis certain ! dis-je en examinant une carte de la Haute-Mauricie.

Après tant d'années sans y être allé, j'ignorais l'emplacement exact du lac de mon grand-père, mais des noms de villages et de rivières apparaissant sur la carte me rappelaient plus moins la route que nous empruntions pour y aller. Les trois lacs susceptibles d'être le bon étaient seulement à une dizaine de kilomètres les uns des autres, mais aucune route asphaltée ne s'y rendait. Même avec ma camionnette à quatre roues motrices, les accumulations de neige de cette année allaient me compliquer la vie. Notre chemin risquait d'être parsemé de boue et de congères.

— Dommage que notre voyage tombe durant ma semaine de relâche, j'aurais pu manquer des journées d'école ! se lamenta Edward en m'aidant à transporter l'équipement jusqu'au camion.

— Si tu avais eu de l'école, tu ne serais pas venu avec nous, jeune homme ! le taquinai-je.

En effet, même si le Marlot lui avait suggéré de se concentrer principalement sur ses forces au lieu de ses faiblesses, comme les mathématiques, Edward, aidé de sa mère, avait fait des progrès à l'école et son année scolaire n'était plus en péril. Cela me rassurait énormément puisque c'était pour venir chez moi qu'Edward avait négligé de se présenter en classe.

Par ailleurs, Anne n'avait pas chômé depuis le départ d'Ectar et elle avait continué de m'apporter des livres qui semblaient

inspirés par une rencontre avec la civilisation marlotte. Elle était certaine qu'en
étudiant minutieusement ces ouvrages, elle
trouverait le moyen de contrer les Trojas et
de libérer à jamais le peuple marlot de cet
ennemi redoutable. Toutefois, le temps
pressait et elle n'avait toujours pas imaginé
de solution miracle.

— Maman, dépêche-toi ! cria Edward.

Impatient, il appuya sur le klaxon. Un
son aigu retentit aussitôt et Anne sortit de
la maison, un dernier sac à la main.

— Robert, pas besoin de jouer à l'enfant
avec ce klaxon ! me dit-elle en entrant dans
le camion, à la grande joie d'Edward dont
la plaisanterie avait fonctionné.

— Mais ! protestai-je en ne voulant pas
trop m'embarquer dans les explications.

— Je dois passer à la bibliothèque. Je
croyais avoir consulté tous les livres de
contes de fées, mais je viens d'appeler France
et elle m'a dit en avoir découvert un autre
bien caché entre deux étagères.

La bibliothèque où travaillait Anne se
trouvait dans l'ancien presbytère, à l'autre
bout du village. Les gens ayant abandonné
l'église, il n'y avait plus de curé résidant

dans le coin. Un membre du clergé venait bien de temps en temps, mais uniquement pour administrer des baptêmes et célébrer des mariages. Rien de plus. D'où la conversion du presbytère en bibliothèque. Les habitants ne ressentaient tout simplement plus le besoin de célébrer leur foi dans la maison de Dieu. Je déposai Anne à l'entrée et elle alla chercher le livre. Il s'agissait d'un vieux roman d'un auteur ayant vécu au début du vingtième siècle.

— *L'invasion des Trolls,* par Thomas Rousset... Le nom m'est familier, mais je ne pourrais pas dire pourquoi. J'ai probablement lu un autre de ses romans, dis-je en voyant la couverture.

— Impossible, c'est le seul livre qu'il ait jamais écrit ! Il n'a pas eu une grande carrière littéraire comme les Voltaire de ce monde !

Thomas Rousset n'avait peut-être pas eu une grande carrière, mais en lisant son livre, on pouvait encore aujourd'hui faire revivre ses pensées. Telle était, à mes yeux, la beauté et la magie de la littérature : en écrivant, les auteurs, peu ou bien connus, pouvaient laisser leur trace sur Terre.

— La couverture est assez lugubre ! fis-je remarquer en cherchant toujours où j'avais bien pu avoir entendu le nom de l'auteur.

Sur ladite page se trouvait une illustration d'une petite maison du début du vingtième siècle entourée de buissons dans lesquels brillaient des dizaines de petits yeux. Avec un ciel de pleine lune comme toile de fond, l'ensemble aurait pu effrayer n'importe quel enfant.

— Il sent les boules à mites ! constata Edward en se bouchant le nez.

— France m'a dit que ce document était déjà dans le presbytère bien avant le déménagement de la bibliothèque. C'est normal qu'il empeste : la servante du curé mettait de la naphtaline partout !

— J'ignorais que les religieux lisaient des contes de fées ! lançai-je pour faire une blague.

Edward rit et, pour une fois, ne demanda pas d'explication.

Le chemin allait être long et pénible jusqu'à notre destination. La neige fondait abondamment depuis le début de la journée et la gadoue avait totalement envahi la chaussée. C'était le genre de journée où le lave-glace devient le meilleur ami de l'homme au détriment du chien. Néanmoins, j'étais satisfait des performances de ma camionnette qui roulait très bien malgré les mauvaises conditions routières. Reste que je devais m'armer de patience derrière les autres usagers de la route qui ne pouvaient atteindre ma vitesse de croisière.

— L'ornithologue n'a pas récrit sur son blogue ? demandai-je à Edward à qui la tâche de vérifier régulièrement le site avait été attribuée.

— Non, rien du tout ! Mais il a demandé à tous ses visiteurs d'être vigilants et de l'alerter si jamais un rat sur un oiseau se présentait quelque part !

— J'espère qu'il ne créera pas de vagues avec une telle nouvelle…, m'inquiétai-je de nouveau.

— Je ne vois pas comment, personne ne va sur son site ! répondit Anne en lisant son livre.

— Les deux enfants, l'ornithologue et nous…, compta Edward. Nous sommes donc six personnes à avoir déjà vu Ectar… Je divise le nombre total de visiteurs par six… Vingt-cinq pour cent des visiteurs du site ont donc déjà vu notre Marlot! calcula-t-il fièrement.

— Un vrai Stephen Hawking! le complimentai-je.

— Stephen qui?

Sur l'heure du dîner, nous nous arrê-tâmes dans un petit restaurant fréquenté par des camionneurs de la région. Je me dégourdis enfin les jambes et nous pûmes nous mettre quelque chose sous la dent. J'aurais aimé grignoter un des sandwichs préparés par Anne, mais elle voulait les garder en réserve pour l'expédition en forêt. Je me contentai donc d'une bonne poutine à la sauce brune.

Alors que j'engloutissais mon mets typiquement québécois, j'entendis des bribes de la conversation des camionneurs à la table voisine. Ils discutaient de l'ouverture de concessions d'exploitation du bois sur des terres plus au nord. D'ailleurs, leurs énormes camions aux remorques chargées de troncs d'arbres les attendaient dehors. Je me levai pour leur demander s'ils avaient déjà vu le lac de mon grand-père. Les trois solides gaillards qui sirotaient leur café examinèrent la carte que je traînais avec moi depuis le début du voyage.

— Je suis allé à ce lac-là, l'été passé. Il ne reste rien ! dit le camionneur le plus âgé.

— Plus rien ? m'étonnai-je.

— Rien ! La forêt a été coupée à blanc ! Plus aucun arbre ne se dresse dans ce secteur ! confirma-t-il.

— Et la forêt autour de cet autre lac a subi le même sort il y a deux ans ! intervint un autre chauffeur.

— Et celui-là ? demandai-je nerveusement en montrant le dernier lac sur la carte.

— Jamais été ! avouèrent successivement les trois camionneurs.

— Donc, avec un peu de chance, ce secteur est encore intact ?

— Peut-être…

Je retournai à ma table où Anne et Edward attendaient impatiemment le résultat de ma petite enquête. Je leur expliquai qu'autour des deux premiers lacs, il ne restait plus aucun arbre depuis l'été passé.

Or, la cité d'Ectar, à ses dires, était encore entourée d'arbres l'automne dernier. Elle devait donc se trouver près du troisième lac.

— Nous n'avons plus une seconde à perdre !

Chapitre 21

Printemps
Territoire de la Lignée Royale

Ellius attachait solidement ses sacs au flanc de la bernache sur laquelle il avait décidé de voyager. Elle était robuste et elle pourrait facilement supporter le poids de l'héritier et de ses bagages. Depuis le début des préparatifs, les Sangs Royaux étaient fébriles. Chacun d'entre eux redoutait d'affronter de nouveau leur ennemi de toujours. Tous connaissaient les risques élevés de l'expédition et nul ne souhaitait voir tomber un être cher lors du combat.

— Tu ne choisis pas le moment où tu quitteras ce monde. Tu partiras seulement le jour où tu auras accompli ta destinée ! dit Atius à Ectar qui doutait de ses qualités de combattant.

Ectar ne pouvait s'empêcher de penser aux habitants de sa cité et il espérait que tout allait bien pour eux. Il avait hâte de revoir son ami Guliaf et d'apprendre où en était ce dernier avec la belle Daïa. Guliaf aimait tellement la jolie Marlotte que son âme ne serait pas en paix tant et aussi longtemps qu'il ne lui aurait pas déclaré sa flamme.

— Arrête de rêvasser et viens plutôt m'aider ! s'exclama Ellius en sortant Ectar de ses pensées.

Le Marlot alla donner un coup de main à son nouvel ami qui installait les derniers sacs sur la bernache. L'animal, toujours entravé, se laissait faire sans broncher. Des lances furent ficelées sur le dos de l'oiseau ainsi que d'immenses filets qui seraient déployés sur l'ennemi. En effet, la stratégie militaire de la Lignée Royale ressemblait aux techniques de chasse des Marlots. Les adversaires devaient être immobilisés avec des filets, puis vaincus au corps à corps.

— Quelles sont nos chances ? répéta Ellius en regardant Ectar qui venait de lui poser la question. Je ne pourrais te répondre, mais en réunissant nos forces contre ces Trojas, je ne donne pas cher de leur peau !

— Intrus! alerta un Sang Royal qui venait d'apercevoir un mouvement inhabituel à travers les arbres.

Ce cri d'alerte provoqua l'éparpillement de tous les Sangs Royaux qui se trouvaient dans la clairière. Le son des épées sortant de leurs fourreaux se fit entendre et tous se placèrent en position défensive. Ellius s'envola à toute vitesse vers les arbres où semblait se cacher la menace. Il disparut entre les branches bourgeonnantes et un silence inquiétant s'installa. Les échos d'une lutte retentirent et une dizaine d'autres soldats allèrent prêter main-forte à l'héritier qui était vraisemblablement en danger.

La bataille dura quelques secondes avant de s'interrompre brusquement. Le temps s'arrêta au même moment. Tous se demandaient ce qui pouvait bien se passer. Ectar était sur le point de se diriger vers la zone de combat lorsque les soldats dépenaillés en émergèrent sans l'héritier. L'un d'eux se mit à crier en pointant l'index vers le ciel.

— Là! Des oiseaux!

Ectar leva la tête et il reconnut les grosbecs de la cité d'Harald. Quelle ne fut pas sa surprise en apercevant justement le

263

souverain sur le dos d'un des volatiles. Le roi était accompagné d'un prisonnier ligoté derrière lui. *Non, il n'a pas osé !* Harald tourna autour de la clairière et se posa. L'individu assis derrière le roi était Ellius !

Atius préparait déjà une contre-attaque. Les Marlots qui avaient enlevé l'héritier devaient payer ! Harald, de son côté, demanda à ses soldats de se poser à leur tour dans la clairière. L'affrontement était imminent. Toutefois, les soldats marlots défirent sans attendre les liens de leur détenu. Ellius était libre, quoique vexé de s'être fait prendre aussi facilement.

— Comment osez-vous agir ainsi ? demanda Atius en colère. Nous devrions tous vous abattre pour compenser un tel outrage !

Harald demeura de marbre devant cette menace. Il affichait même une mine plutôt joyeuse, satisfait d'avoir réussi à capturer l'héritier.

— Vous le pourriez, mais en nous attaquant vous risqueriez de perdre de valeureux combattants pour votre guerre prochaine contre les Trojas ! répondit-il en regardant en direction d'Ectar.

Harald n'avait pas oublié la quête de l'éclaireur. Depuis que le messager d'Enia était disparu, le roi marlot n'avait cessé de le chercher à travers toute la forêt. Ce n'était qu'en soirée, au beau milieu de cette clairière envahie de bernaches, qu'Harald était enfin tombé sur Ectar.

— Nous n'avons pas besoin de votre aide! affirma Atius, toujours fâché. La Lignée Royale saura vaincre les Trojas à elle seule!

— Heureux de constater la grandeur de votre enthousiasme. Reste que mes hommes ont facilement capturé votre héritier. Serez-vous réellement à la hauteur face à un ennemi encore plus puissant? Vous avez besoin de nous!

— Ce n'était que de la chance! Je refuse que…

— Père! l'interrompit Ellius.

Cette brève pause permit à Ectar d'aller à la rencontre de son ami Harald.

— Je te remercie de vouloir te joindre à ma cause. Jamais je n'aurais cru que tu voudrais te battre pour ma cité!

— Aujourd'hui, tu m'as prouvé qu'Ica vivait toujours! Ensemble, nous décimerons ces démons qui nous ont tant fait souffrir!

Ectar était plus que ravi d'entendre les propos du roi Harald et il se réjouissait d'avoir un allié de plus. Il ne restait plus qu'à convaincre Atius d'accepter ces nouveaux combattants dans ses rangs. Malgré l'humiliation qu'il venait de subir, Ellius était déjà persuadé que la présence des soldats d'Harald constituerait un atout lors de la lutte. Les choses n'étaient pas aussi évidentes aux yeux du roi de la Lignée.

— Jamais ! répondit Atius.

— Ne prenez pas votre décision sur un coup de tête ! répliqua Ellius en voulant raisonner son père.

— Ces Marlots nous ont traités de lâches après la Grande Guerre d'Ica ! Mille saisons d'insultes et voilà qu'ils nous raillent une fois de plus aujourd'hui ! Je refuse de me battre à leurs côtés ! expliqua Atius à son fils.

— Cette ancienne querelle est puérile et l'heure est grave. Sachez pardonner. Acceptez l'aide des Marlots contre les Trojas ! insista l'héritier.

Ellius agissait exactement comme son père le lui avait enseigné. Il analysait objectivement la situation au lieu de se laisser emporter par ses émotions. Même s'il s'était fait prendre par les Marlots de la cité d'Harald, il ne leur en voulait nullement. Il se félicitait plutôt d'avoir pour alliés des guerriers aussi vaillants et efficaces. Pour sa part, Atius, pétri d'orgueil, avait du mal à passer outre les vieilles rancœurs qui avaient éloigné son peuple des Marlots. Le père et le fils discutèrent longuement avant qu'Atius ne dévisage Harald qui attendait patiemment.

— Je vous prends dans mes rangs uniquement si vous enlevez ce sourire arrogant que vous affichez depuis votre arrivée ! dit finalement le souverain des Sang Royaux.

Harald, satisfait, lui sourit.

Chapitre 22

Printemps
Territoire de la Lignée Royale

Durant la nuit, les hommes d'Harald transportèrent sans relâche de leur cité à la clairière tout le nécessaire pour la mission qui les attendait. Les bernaches, qui avaient d'abord semblé trop nombreuses pour le voyage, furent rapidement chargées au maximum et certains articles durent même être laissés de côté, faute d'espace.

— Tout sera prêt à l'aube, père, prédit Ellius qui était chargé de superviser les préparatifs.

— Mais pourquoi amener ces oiseaux ? demanda le roi ailé en désignant les grosbecs ligotés sur les bernaches.

— Harald les voulait absolument avec lui. Impossible de le faire changer d'idée !

Or, les gros-becs ne voyagent pas assez vite pour suivre les bernaches. Nous devons donc les transporter avec le reste du matériel.

— Zut ! Nous devrons les endurer pendant tout le voyage…, se désola le roi qui aurait aimé faire le trajet confortablement.

Ainsi, les cavaliers marlots attachèrent solidement leurs montures aux bernaches. Cette tâche fut ardue, car les petits oiseaux se débattaient énergiquement. Durant cette opération, Harald prit le temps d'expliquer à Ectar sa stratégie de déploiement en vol. Il s'approcha d'un gros-bec qui venait tout juste d'être ligoté fermement.

— Tu vois, toutes ces cordes semblent être reliées entre elles aléatoirement, mais c'est tout le contraire ! Il s'agit d'un ensemble complexe de nœuds qui permet une libération rapide de la monture ! fit-il avant de tirer sur un bout de corde qui pendouillait sur le dos du gros-bec.

Ceci fait, toutes les cordes retenant l'oiseau tombèrent. Les cavaliers qui avaient soigneusement attaché la bête protestèrent bruyamment.

— Harald ! Ce fichu oiseau était, de tous, le plus difficile à maîtriser ! lança un Marlot de mauvaise humeur.

Le souverain ne lui prêta aucune attention.

— Donc, un cavalier se positionnera sur le dos de l'animal avant de le libérer et de glisser dans le vide avec lui, prêt à livrer le combat. Veux-tu une autre démonstration pour comprendre le fonctionnement des cordes ? demanda-t-il en s'approchant d'un autre oiseau.

— Non ! Tout est très clair ! se hâta d'intervenir Ectar avant que le souverain ne tire sur une autre ficelle et ne complique de nouveau la vie de ses cavaliers.

Au lever du soleil, toutes les bernaches étaient prêtes à s'envoler en direction du territoire marlot. Harald et Atius firent ensemble une dernière inspection des troupes avant de quitter, peut-être à jamais, la région. Les deux souverains se querel-lèrent alors sur des détails insignifiants, comme d'habitude. Ellius leur résuma la situation.

— Quinze bernaches ont été captu-rées hier.

— Par nous, les Sangs Royaux, puis-je préciser ! lança pompeusement Atius.

— Et nous avons capturé l'héritier ! répliqua Harald avec arrogance. Cela s'équivaut-il ?

— Quinze bernaches ont donc été capturées hier, répéta Ellius en haussant le ton, tuant dans l'œuf la querelle naissante. Sur leurs flancs, nous avons placé des gros-becs.

— Ces oiseaux sont infects, tu devrais le mentionner ! se plaignit Atius en reniflant un des petits volatiles ligotés.

— Pas tous, seulement ceux que j'ai placés volontairement sur votre outarde ! avoua Harald, fier de son mauvais coup.

— Cent Sangs Royaux participeront au voyage et les autres resteront ici pour s'occuper de l'Ange de la Mort qui doit reprendre des forces, continua Ellius.

— L'Ange de la Mort ? demanda Harald, curieux.

— Harald nous fournit ses cent meilleurs soldats pour le voyage. Donc, chacune des bernaches transportera deux gros-becs, environ quatorze guerriers et le minimum de vivres jusqu'à destination.

— Je n'arrive toujours pas à croire que mes troupes seront sur ces bernaches ! s'exclama le souverain marlot en admirant les outardes.

— Elles le seront, en compagnie de Sangs Royaux. Nous aurons ainsi la chance d'apprendre à nous connaître avant de livrer combat contre les Trojas, précisa Ellius.

— Pas de problème en ce qui me concerne ! répondit Atius.

— Alors pour moi non plus ! termina Harald.

Les troupes étaient maintenant prêtes à partir en guerre. Les deux rois étaient satisfaits du travail qu'Ellius avait accompli en organisant aussi rapidement l'expédition, sauf sur un point…

— Par ailleurs, vous voyagerez ensemble, question d'apprendre aussi à mieux vous connaître ! annonça Ellius en se retirant avant que les deux souverains ne puissent contester sa décision.

Chapitre 23

Printemps
Haute-Mauricie

La conduite de mon véhicule et les mauvaises conditions routières m'avaient totalement exténué. Je dus arrêter en fin d'après-midi pour me reposer un peu. Je stationnai ma camionnette dans la cour d'un motel miteux où Anne loua une chambre. La nuit allait bientôt tomber et nous ne pouvions espérer trouver la route du lac dans l'obscurité.

Notre chambre était modeste et le décor, d'une autre époque. Heureusement, les draps étaient propres et c'est ce qui m'importait le plus. Les ressorts des deux matelas étaient usés par le temps et les lampes éclairaient très mal la pièce. Disons que pour quarante dollars la nuit, on ne pouvait espérer beaucoup mieux.

— As-tu vraiment l'intention de lire ce conte d'horreur ? demandai-je à Anne en m'assoyant sur un des deux lits doubles.

Elle ne me répondit pas, trop absorbée par sa lecture. Je n'insistai point. Edward lisait quant à lui une bande dessinée que je lui avais offerte au début du voyage et, pour une fois, il était tranquille, assis près de la fenêtre. Je ne le dérangeai pas, lui non plus, et je fermai tranquillement les yeux pour somnoler jusqu'à ce qu'Anne me fasse sursauter.

— Robert !

— Quoi ? Hein ? Je ronflais ? m'excusai-je, désorienté.

Edward se moqua gentiment de mon air confus et Anne me rejoignit sur mon lit avec son livre à la main. Elle en avait presque lu la moitié, en quelques heures à peine, et semblait y avoir déjà découvert quelque chose d'intéressant.

— Thomas Rousset était ton voisin ! m'annonça-t-elle, excitée.

— Euh… non ! réfléchis-je rapidement. Ce nom m'est familier, mais je suis persuadé que je ne l'ai jamais eu comme voisin.

D'ailleurs, mes voisins habitent tellement loin que je pourrais même dire que je n'en ai pas !

— Et pourtant… Thomas Rousset habitait notre communauté, et devine où il travaillait ?

— McDonald ? tenta Edward.

— Au verger près de chez toi, Robert ! m'apprit-elle.

Anne me fit alors lire quelques passages du roman où l'auteur décrivait son environnement. Il ne semblait pas impossible qu'il ait pu demeurer près de chez moi. Les paysages dont l'écrivain parlait ressemblaient presque en tous points à mon coin de pays. Toutefois, les villages de la région étaient presque tous identiques et la province regorgeait de vergers comme celui situé dans mon rang.

— Ce Thomas Rousset peut tout aussi bien avoir été mon voisin qu'avoir travaillé à cent kilomètres de ma demeure, dis-je.

— Moi, je crois plutôt que Thomas Rousset habitait ta maison, Robert ! lança Edward, vraisemblablement fier de proposer une nouvelle hypothèse.

— Pourquoi dis-tu cela ? lui demandai-je par politesse, l'affaire me semblant peu probable.

Il déposa sa bande dessinée sur le meuble de la télévision et il s'approcha de nous en pointant du doigt la page couverture du livre que tenait toujours Anne. Cela me prit quelques secondes avant de bien interpréter le manège du garçon. Puis je n'en crus tout simplement pas mes yeux !

— Edward, tu es un génie ! le complimentai-je en saisissant le livre.

Anne ne comprit guère ma réaction et exigea aussitôt une explication de notre part.

— Ma maison est représentée sur la couverture du livre ! C'est un point de vue de son côté droit ! dis-je, abasourdi. Je l'ai repeinte et j'y ai ajouté une galerie mais, auparavant, elle était identique à l'illustration !

— Thomas Rousset aurait donc carrément vécu à ton adresse, en conclut Anne.

— Thomas Rousset… Thomas Rousset… Oui ! Ça y est ! Je sais maintenant à quel endroit j'ai déjà entendu ce nom ! m'exclamai-je. C'est le nom de l'ancien propriétaire qui apparaissait sur l'acte de vente de ma propriété lorsque je l'ai achetée !

— Alors, tu l'as déjà rencontré ? demanda Edward.

— Non, il était décédé lorsque la transaction a eu lieu. J'ai fait affaire avec les liquidateurs de la succession. Reste que j'en suis certain : Thomas Rousset était l'ancien propriétaire de ma demeure !

— Incroyable ! fit Anne, estomaquée.

Chapitre 24

Printemps
Territoire de la Lignée Royale

Une heure de repos avait suffi pour remettre les troupes sur pied. Ectar avait, lui aussi, réussi à fermer l'œil et à récupérer un peu. Toutefois, la nervosité de tous était palpable et le départ imminent. Les soldats de l'armée d'Harald étaient excités malgré le danger vers lequel ils se dirigeaient. Depuis le début des préparatifs, ils n'avaient jamais montré de signe de faiblesse. Ils tenaient à venir en aide à leurs frères et sœurs, aux autres descendants d'Ica.

Les guerriers marlots d'Harald avaient tous revêtu leur armure faite de glands de chêne. Ils portaient aussi un casque sculpté dans la même matière. Dessus étaient gravés des symboles marlots censés protéger chaque soldat. Enfin, avec leur épée insérée dans un fourreau noué sur leur dos, les soldats d'Harald ne ressemblaient en rien aux soldats de la cité d'Ectar.

Celui-ci fut le dernier à monter sur la bernache de tête où les deux souverains et Ellius se trouvaient déjà. Il eut même l'honneur d'utiliser le cor de l'héritier pour annoncer le départ de l'armée des deux nations unies.

— En route ! cria-t-il avant de souffler longuement dans l'instrument de bois.

Sitôt libérées de leurs liens, les bernaches s'envolèrent avec leurs conducteurs et passagers dans le ciel clair du matin. Les guerriers acclamèrent bruyamment le départ tout en saluant les malchanceux au sol qui ne pouvaient participer au voyage. Les conditions de vol étaient parfaites et aucun nuage n'apparaissait à l'horizon. Un vent chaud provenant du sud se faisait déjà sentir et, pour la première fois de l'année, la température n'avait pas atteint le point de congélation durant la nuit.

La bernache de tête survola facilement la cime des érables pour ensuite gagner de l'altitude. Ectar regarda derrière lui. Toutes les bernaches avaient quitté la clairière sans problème. Il prit quelques secondes pour rassurer Steve qui était ligoté contre les flancs de l'oie.

En altitude, les outardes adoptèrent leur habituelle formation de vol en V. Celle-ci leur permettait de se déplacer avec un minimum d'effort. Jamais Ectar n'aurait imaginé se retrouver un jour dans une telle situation. Il se voyait déjà en faire le récit à Olef, son bon ami.

— Êtes-vous toujours aussi fier de nous avoir attitré les deux oiseaux les plus malodorants? demanda Atius à Harald, assis bien malgré lui près des deux gros-becs.

— Je vote pour que nous échangions nos places à mi-parcours! répondit-il.

— Vous êtes puérils! Je n'en crois tout simplement pas mes oreilles! s'impatienta l'héritier, toujours responsable des opérations jusqu'à la destination finale.

Au bout de quelques minutes, incommodé par l'odeur des gros-becs, Harald décida de se lever pour s'installer un peu plus loin, mais l'outarde était surchargée et son dos, encombré. Le roi marlot dut donc bousculer quelques guerriers pour se faufiler jusqu'au flanc droit de la bernache où il semblait y avoir une toute petite place entre deux sacs de provisions.

— Aïe ! Vous me pilez sur le pied !

Difficile de se déplacer sur le dos d'une outarde en plein vol. D'ailleurs, quand Harald fut sur le point de s'asseoir, une violente secousse lui fit perdre l'équilibre et il bascula dans le vide !

— Harald ! s'écria Ectar qui n'avait pas quitté le roi des yeux.

Deux cavaliers marlots se précipitèrent en direction des gros-becs pour un déploiement d'urgence afin de sauver le souverain, mais Atius avait déjà sauté dans le vide pour secourir son allié. Ellius ordonna alors à tous de garder leur calme et de ne point intervenir.

Sous la bernache de tête, Atius piquait vers le sol. Il lui fallut près d'une dizaine de secondes en chute libre avant de rejoindre le roi marlot qui tombait comme une pierre. Heureusement, Atius réussit à agripper fermement le vêtement d'Harald. Le Sang Royal déploya alors ses ailes et put ainsi freiner sa chute et celle de son compagnon. Du haut des airs, tous les guerriers assistaient à cet acte de sauvetage héroïque et Ectar fut surpris par la résistance incroyable d'Atius.

— Ça y est, ils semblent maintenant hors de danger ! cria un Marlot.

La formation d'outardes avait grandement réduit sa vitesse de croisière pour permettre aux deux rois de remonter vers elle, ce que fit Atius après beaucoup d'efforts. Il déposa Harald sur la bernache de tête, près des gros-becs, pour ensuite se rasseoir à sa propre place. Ellius vint rejoindre son père. Celui-ci rassura son fils avec une accolade. Tout allait bien. Tous restèrent silencieux devant tant de bravoure. Tous, sauf Harald :

— Je persiste à réclamer un changement de place à mi-parcours ! laissa tomber l'entêté qui se remettait tranquillement de sa mésaventure.

Atius le dévisagea furieusement avant d'éclater de rire. Bientôt, tout l'équipage partagea le fou rire du roi de la Lignée. Le souverain marlot, lui-même hilare, dut essuyer ses larmes du revers de la main.

Ectar indiqua au maître de la bernache la direction à prendre pour arriver le plus vite possible à destination. L'éclaireur avait une mémoire photographique, comme l'exigeait son métier. Il était parfaitement capable de se repérer et de revenir sur ses pas pour rentrer chez lui. D'ailleurs, au bout de quelques heures, la formation survola la grange dans laquelle Ectar avait rencontré le groupe d'enfants jouant à la cachette.

Le Marlot était épaté par la vitesse à laquelle le voyage se déroulait. Il comprit alors pourquoi la Lignée Royale avait été à ce point ravie par la capture des outardes. Elles étaient rapides et endurantes. *Au rythme où nous filons, nous serons chez moi demain. Attention, Trojas, votre temps est à présent compté !*

Chapitre 25

Printemps
Haute-Mauricie

— La météo annonce beau et chaud, aujourd'hui, nous informa Edward qui regardait les nouvelles.

Depuis près d'une heure, il zappait sans arrêt en attendant que sa mère et moi ne sortions complètement de notre sommeil réparateur. Après avoir découvert que l'auteur de *L'invasion des Trolls* avait habité ma maison, Anne n'avait pu lâcher le roman du reste de la soirée et je lui avais demandé d'en lire les pages à voix haute afin de partager avec elle les aventures du personnage principal.

Ce roman donnait la chair de poule. Son héros semblait être une sorte d'avatar littéraire de l'auteur lui-même. Dans le récit, cet homme, après une belle journée d'été passée à travailler dans le verger, rentre chez lui où sa femme l'attend impatiemment. Elle se dit inquiète du comportement de leur fille qui est prostrée depuis le début de l'après-midi, à la suite d'une promenade en forêt, au-delà du verger. Afin de comprendre ce qui a bien pu se passer, le père se rend aussitôt dans le boisé. Il n'y trouve rien. Toutefois, sur le chemin du retour, l'homme se rend compte que *quelque chose* a suivi sa fille à la maison. En effet, il observe sur le sol des centaines de petites traces derrière les empreintes de chaussures laissées par son enfant. Le père finit ainsi par découvrir que sa maison est envahie par des trolls. Toute la famille se réfugie alors en vitesse à la cave.

À ce moment du récit, Anne et moi en avions été certains : la demeure de l'auteur avait été attaquée par les Trojas. *Ces monstres chez moi !*

Dans la suite du roman, les trolls menacent de dévorer la famille terrée au sous-sol. Le père entrouvre la porte de la cave pour les combattre en leur lançant tout ce qui lui tombe sous la main. Tout à coup, il saisit une boîte qu'il jette à la face de l'ennemi. Un nuage de poudre blanche s'en échappe, semant la panique chez les petits monstres. Certains meurent, les autres prennent la fuite en poussant des cris aigus terrifiants.

— Fin! avait lancé Anne, tout aussi surprise que moi.

— Fin? C'est impossible! Il doit manquer des pages! avais-je répondu, stupéfait.

— Eh non! Le mot *fin* est sur la même page que le dernier paragraphe!

— Mais qu'est-ce que ce dénouement bidon? Je comprends maintenant pourquoi il n'a pas été connu, ce Thomas Rousset! Il ne savait pas terminer une histoire! avais-je critiqué furieusement en regardant la dernière page du livre.

Puis nous nous étions couchés, épuisés et déçus de ne pas en avoir appris plus. Ceci, jusqu'à ce qu'Edward nous réveille en nous promettant du beau temps.

Le garçon passa à la chaîne de musique pop. Il se mit alors à danser partout dans la chambre en ne se souciant guère de nous qui tentions de nous rendormir. La sonnerie du téléphone accompagna bientôt le tapage du gamin. Le combiné à la main, d'une petite voix fatiguée, Anne m'annonça que nous devions quitter la chambre dans les dix prochaines minutes, faute de quoi nous devrions payer des frais supplémentaires.

— Ils sont levés de bonne heure, ici! bredouillai-je tout en regardant ma montre. Onze heures? Nous devrions être partis depuis déjà longtemps! dis-je en sautant du lit.

Anne fut tout aussi surprise que moi par l'heure tardive. Je demandai alors à Edward pourquoi il ne nous avait pas réveillés. Il m'avoua timidement qu'il avait encore de la difficulté à lire la montre à cadran qu'il avait reçue de ses grands-parents à Noël. Nous rassemblâmes donc rapidement nos bagages avant de gagner ma camionnette stationnée directement en face de la chambre. Je démarrai et mis le cap vers La Tuque où nous empruntâmes le chemin menant au lac de mon grand-père.

Anne avait toujours le livre de Thomas Rousset à la main et elle ne cessait d'en relire certains passages afin de découvrir la nature du nuage blanc qui avait fait fuir les trolls, ou plutôt les Trojas. Nous nous doutions que ce roman constituait la clé pour vaincre les Trojas et ainsi sauver le peuple d'Ectar, mais nous étions incapables d'élucider le mystère de l'arme fatale.

— Un nuage blanc ! Pourtant, ça ne devrait pas être bien compliqué ! répétai-je en conduisant à travers les rues de La Tuque.

À la sortie de la ville, j'empruntai le petit chemin de gravier qui devait nous mener jusqu'au lac. Je réussis de peine et de misère à éviter tous les nids-de-poule que nous rencontrions. Ceci, sans oublier les profondes ornières que creusaient les camions à plateau remplis d'immenses troncs d'arbres que nous croisions dans le coin. Chaque fois, nous redoutions d'être happés par ces monstres qui filaient à toute vitesse sur la route hasardeuse. Nous ne vîmes que peu de maisons dans cette région isolée et j'étais soulagé d'avoir pensé à apporter des bidons d'essence.

— J'ai mal au cœur ! se plaignit Edward qui était silencieux depuis le début du voyage.

— Ne vomis surtout pas sur le tapis de ma camionnette ! Un chien errant que j'ai ramené au village a déjà vomi dessus et j'en

ai eu pour un mois à sentir son déjeuner !
lui répondis-je, inquiet.

— Robert ! C'est normal qu'il se sente
mal avec tous ces cahotements et l'odeur
de boules à mites qui se dégage du livre !
On étouffe ! fit remarquer Anne pour
défendre son garçon nauséeux.

Je ne répondis point, mais j'étais agacé.
Ce n'est quand même pas ma faute si la
route est aussi abîmée et encore moins si
ce livre pue la naphtaline ! Tout à coup, je
m'arrêtai brusquement au beau milieu du
chemin, frappé par une évidence. *Ça y est !*
Je comprends tout !

Anne me demanda aussitôt la raison de
cette manœuvre dangereuse, mais je
débarquai de la camionnette et me dirigeai
d'un pas déterminé vers la demeure la
plus proche.

— Il est plus susceptible que je le
croyais…, dit Anne à Edward qui ne comprenait pas, lui non plus, mon comportement apparemment enfantin.

Je sonnai à la porte d'une maison
délabrée. Un vieil homme me répondit et
je lui soumis une requête qui lui sembla
ridicule. Il en profita pour me prendre vingt

dollars en échange de ce que je demandais. Je revins en courant vers la camionnette avec un sac brun tout chiffonné. Anne et Edward me croyaient fou. Ils furent encore plus déroutés en voyant le contenu du sac.

— Le nuage blanc, l'odeur intense du livre... J'aurais dû faire le lien beaucoup plus rapidement que cela! Des boules à mites! Ce sont des boules à mites qui ont créé le nuage qui a fait fuir les Trojas! Des boules à mites! Ha! Ha!

Chapitre 26

Printemps
Quelque part entre le territoire
de la Lignée Royale et la Haute-Mauricie

L'ornithologue fou sortit vers six heures pour aller chercher son journal qui l'attendait au bord du chemin. Tasse de café à la main, il avançait méticuleusement entre les trous d'eau qui avaient envahi son entrée durant la nuit. Sa robe de chambre jaunie par le temps et ses épaisses lunettes lui donnaient l'air d'un personnage des années cinquante.

— Jamais de *vraies* nouvelles dans ce torchon…, bougonna-t-il en feuilletant brièvement les premières pages de son quotidien, appuyé contre sa boîte aux lettres.

Après avoir entendu cancaner la première formation d'outardes de l'année dans un champ voisin vers minuit, l'ornithologue s'était levé de bonne heure pour faire une petite séance d'observation avant d'aller travailler. Il y avait longtemps que les bernaches n'étaient pas revenues si tôt en saison. Cela l'intriguait beaucoup.

— Soyez patientes, mes amies : j'arrive ! dit-il en revenant tranquillement vers sa maison.

Alors qu'il était au milieu de son entrée, l'ornithologue sursauta en voyant foncer directement sur lui une outarde qui venait tout juste de s'envoler. Le pauvre homme, se laissant tomber sur le sol en plein dans une flaque, en perdit ses lunettes. Sa robe de chambre s'imbiba d'eau et de boue. Il parvint néanmoins à se relever pour regarder s'éloigner l'oiseau qui venait de l'attaquer.

— Maudit oiseau de malheur ! lui cria-t-il en levant le poing vers la créature maintenant à une bonne distance.

La bernache continua son chemin. Sans le savoir, l'homme venait de revoir son rat volant !

— Ha ! Ha ! Bien fait pour toi ! s'exclama Ectar, satisfait de cette petite vengeance.

Le reste de l'armée rejoignit la bernache de tête et tous purent ainsi entamer la dernière partie du voyage dans la lumière de l'aube. La formation d'oies sauvages volait droit vers la cité de la reine Enia, en direction des Trojas !

— J'espère que tu te sens prêt pour le combat de ce soir, mon cher ami, dit Atius au jeune éclaireur assis à ses côtés.

— Vous semblez convaincu qu'il y aura bel et bien une bataille ce soir, mais les Trojas ont peut-être déjà détruit ma cité… répondit Ectar.

— Les Trojas n'attaquent que durant les nuits de pleine lune et c'est aujourd'hui que nous la verrons dans sa totalité ! Et puisque le temps est à présent assez doux pour eux, ils n'hésiteront pas à sortir de leur cachette !

— Êtes-vous certain de ce que vous avancez, Atius ?

— Pour les avoir déjà combattus par le passé, je peux t'affirmer qu'ils envahiront ta cité au crépuscule ! Alors, prie pour que nous arrivions à temps, mon ami, prie !

Chapitre 27

Printemps
Dans la cité marlotte

La reine Enia n'avait pas réussi à fermer l'œil de la nuit. Elle était envahie par une angoisse étrange dont elle redoutait la signification. Depuis des jours, elle tentait d'élaborer un plan qui mènerait les Marlots à la victoire. De son côté, le commandant Rufus préparait la population au combat. Il apprenait à tous les rudiments de l'art de la guerre.

— Lève ta garde à cette hauteur, ordonna Daïa à Guliaf qui manipulait maladroitement l'épée qu'on lui avait donnée.

— Prends exemple sur moi ! lui lança Salek.

— À vrai dire, Salek, tu ne l'as pas du tout… Baisse ce coude de moitié ! le corrigea Daïa.

299

— Que disais-tu, déjà ? le nargua aussitôt Guliaf, satisfait de bien paraître devant sa belle guerrière.

Les deux Marlots se bousculèrent gentiment, comme d'habitude, et Daïa les sépara sans grande difficulté. Rufus, qui passait dans le coin, demanda à la jeune guerrière un compte rendu des progrès des deux trouble-fêtes.

— Ils ne sont pas doués. Mais ils sont tout de même plus habiles que les autres habitants de la cité ! avoua-t-elle en regardant Guliaf et Salek qui avaient repris leur chamaillerie.

— En tout cas, au corps à corps, ils se débrouillent plutôt bien…, constata Rufus en se grattant la tête.

Olef avait, quant à lui, refusé de prendre part aux leçons de maniement des armes données par les soldats de la cité. Il préférait passer ses derniers instants auprès de ses fidèles moineaux qu'il avait tant chéris au fil des saisons. Ces derniers souffraient d'être enfermés dans la cité depuis si longtemps. Toutefois, Olef avait réussi à les garder en forme en les faisant voler régulièrement au-dessus de la place centrale. Pour Olef, le combat aurait lieu à dos de moineau et il défendrait ses protégés jusqu'au bout.

— Mais où es-tu, Ectar ? N'as-tu donc pas réussi ta mission ? s'inquiétait le moinier en fixant le puits de lumière.

Chapitre 28

Printemps
Haute-Mauricie

Une vieille planche de bois clouée à même le tronc d'un arbre nous indiqua le chemin à prendre pour nous rendre au lac de mon grand-père : *Lac Petigoué*. Nous avancions maintenant péniblement en raquettes dans le chemin enneigé. En effet, nous avions été contraints d'abandonner ma camion-nette après une manœuvre un peu trop téméraire de ma part.

— Si quelqu'un veut vraiment la voler, il devra pelleter un bon coup ! lançai-je en entreprenant d'escalader une congère.

Même avec des chaînes sous les roues, je n'avais réussi à parcourir qu'une trentaine de mètres avant que la neige et la boue n'engloutissent complètement mon véhicule.

Anne se déplaçait avec aisance. Edward passait plutôt son temps à se plaindre des efforts qu'il devait déployer à chacun de ses pas. J'étais, quant à moi, de plus en plus loin derrière eux. Il faut dire que je tirais le traîneau contenant tous nos bagages et nos provisions, ce qui me ralentissait. Je regrettais amèrement d'avoir apporté autant d'équipement.

— J'espère au moins que la vieille cabane est encore debout ! marmottai-je en m'éreintant à dégager le traîneau, pris entre les branches d'un pin.

Plus j'avançais sur ce chemin abandonné, plus j'avais la certitude d'être au bon endroit. D'ailleurs, je reconnus bientôt, en bordure de la route, un gros sapin dans lequel mon grand-père installait chaque printemps une mangeoire pour les oiseaux. Puis j'eus enfin la confirmation que nous étions arrivés lorsque je vis un ponceau délabré.

— Il a dû pourrir avec le temps ! dit Anne en mettant timidement le pied dessus.

La fragile construction traversait un ruisseau en furie qui n'inspirait rien qui vaille à mes deux amis.

— Ces vieux ponts sont toujours les plus fiables, croyez-moi ! répondis-je en le franchissant rapidement avec mon traîneau.

J'invitai Anne et Edward à venir me rejoindre, ce qu'ils firent d'un pas hésitant. Edward traversa le premier. Anne mit plus de temps et, au moment où elle quitta le pont, celui-ci se brisa soudainement en deux et ses débris furent emportés au fil de l'eau. Nous restâmes tous bouche bée devant cet incident qui aurait pu être fatal à l'un de nous.

— J'ai une hache. Je pourrai en bâtir un autre ! dis-je tout en soulevant l'outil au bout de mon bras pour rassurer tout le monde.

Anne reprit aussitôt la marche en grognant, furieuse d'avoir été trompée.

— *Ces vieux ponts sont toujours les plus fiables*, hein, Robert ?

Chapitre 29

Printemps
Dans la cité marlotte

Dehors, la lune brillait dans le ciel étoilé et la nuit s'annonçait belle. Du puits de lumière filtrait une lueur astrale éclairant faiblement la cité aux aguets. La reine Enia refusait de croire que cette soirée allait être la dernière pour son peuple.

Depuis environ une heure, les habitants pouvaient entendre les cris des Trojas qui se réveillaient tranquillement. Des rugissements effroyables traversaient les parois rocheuses et atteignaient les Marlots en plein cœur. Aucun d'eux ne voulait quitter ce monde aux griffes de l'ennemi. Tous auraient souhaité une mort plus douce et digne, mais le destin semblait en avoir décidé autrement. La souveraine, elle-même nerveuse, se dirigea vers la place centrale où tous s'étaient réunis pour l'entendre une dernière fois. Elle monta sur l'estrade spécialement décorée pour l'occasion.

— Mes chers amis, j'ai longtemps appréhendé ce moment où je devrais m'adresser à vous une ultime fois. J'ai, hélas, failli à ma tâche et j'en suis grandement désolée. En tant que souveraine, j'aurais dû trouver le moyen de vous éviter le pire. Toutefois, après tout ce que nous avons vécu ensemble, je me suis rendu compte à quel point j'ai été comblée de vivre à vos côtés ! La mort est terrifiante, mais elle n'est rien comparativement à l'idée de vous perdre. Vous êtes la raison de mon bonheur et l'amour que je vous porte sera toujours plus fort que tout. Je ne veux pas quitter ce monde en étant envahie par la peur, mais plutôt avec le cœur rempli par l'amour de mes sujets, que dis-je, de vous tous, mes amis. Je vous aime et peu importe ce que les prochaines heures nous réservent, je pourrai dire que j'ai été privilégiée de vous avoir tous connus !

La reine prit le temps de regarder les pauvres Marlots, qui ne pouvaient retenir leurs larmes, avant de quitter l'estrade et de rejoindre le commandant Rufus qui l'attendait avec l'épée royale. Elle le remercia de tous les efforts qu'il avait déployés pour préparer la population entière au combat.

— Quelle que soit la suite des événements, l'amour fera de nous des gagnants pour l'éternité ! lança-t-il en lui remettant l'épée.

Il monta à son tour sur l'estrade pour s'adresser à la foule, son armée de fortune. Fier et confiant, il voulait donner la force de combattre à tous les habitants de la cité. Pour l'heure, l'ambiance était funeste.

— Je suis le commandant Rufus ! cria-t-il en prononçant chaque syllabe et en dégainant son épée. Je suis un Marlot de la grande cité de la reine Enia ! continua-t-il en levant fièrement son arme. Je suis aussi un guerrier de la grande cité de la reine Enia ! précisa-t-il en bombant le torse et en montant le ton. Aujourd'hui est le jour où je prouverai à tous à quel point j'aime mes frères et mes sœurs ! Aujourd'hui est le jour où les Trojas goûteront au fil de ma lame. Aujourd'hui est le jour où nous vaincrons les Trojas ! finit-il en s'époumonant.

Le commandant commença aussitôt à frapper du pied l'estrade de bois. Il invitait ses soldats à faire de même pour se donner contenance. Rufus saurait les amener à la victoire !

— Victoire ! Victoire ! Victoire ! hurla-t-il pour motiver la foule.

— Victoire ! cria Salek inspiré par le commandant.

— Victoire ! cria un musicien.

— Victoire ! Victoire ! lancèrent des cueilleurs.

Bientôt, ce chant fut repris à l'unisson par la foule. Tous appelaient la victoire en y croyant de plus en plus !

— *Victoire ! Victoire ! Victoire ! Victoire ! Victoire ! Victoire !*

Les Marlots se sentaient prêts à affronter les Trojas qui se mirent au même moment en marche pour détruire la cité qu'ils assiégeaient depuis trop longtemps.

— *Victoire ! Victoire ! Victoire ! Victoire ! Victoire ! Victoire !*

Le commandant Rufus n'en doutait pas : les Marlots allaient opposer aux Trojas une résistance à laquelle ces derniers ne s'attendaient aucunement.

— *Victoire ! Victoire ! Victoire ! Victoire ! Victoire ! Victoire !*

— Marlots, soyez prêts pour le combat final, car les Trojas sont en route ! Marlots, défendez votre cité jusqu'à votre dernier souffle ! conclut Rufus.

Chapitre 30

Printemps
Tout près de la cité marlotte,
Haute-Mauricie

Les bernaches filaient à toute vitesse sous la Grande Ourse, Orion et Cassiopée. L'armée se dirigeait toujours vers la cité et les maîtres des bernaches poussaient leur monture pour arriver à temps. La fin du voyage étant proche, Ellius remit le commandement de l'armée entre les mains des deux souverains et il rejoignit Ectar qui se tenait tout près de Steve.

Les oies sauvages allaient bientôt survoler la cité de la reine Enia. Les alliés fonceraient alors sur la paroi rocheuse pour combattre les Trojas. Les Sangs Royaux et les Marlots de la cité d'Harald se promettaient de tout faire pour mettre définitivement fin à la menace des Trojas. Tous étaient unis par bien plus qu'un ancien traité. Ils étaient unis par le désir de vaincre l'ennemi pour enfin cesser de fuir et de se cacher et pour vivre dorénavant en paix.

— La cité! La cité! s'écria Ectar en montrant au loin la falaise qui surplombait le lac toujours glacé.

Ectar l'éclaireur, qui ramenait avec lui toute une armée prête à combattre les Trojas, venait d'apercevoir la cité qu'il chérissait tant! Toutefois, sa joie tourna vite à l'effroi. Une vision d'horreur glaça son sang: les Trojas avaient déjà entamé leur attaque! *Non!*

En effet, l'endroit grouillait de créatures démoniaques qui escaladaient la paroi rocheuse. Les cris aigus de ces êtres maléfiques résonnaient dans toute la forêt. Harald voyait pour la première fois son ennemi, tandis qu'Atius revivait ses pires cauchemars.

— Tenez-vous prêts au déploiement! cria Harald à ses hommes qui gagnèrent en vitesse leurs gros-becs toujours ligotés.

— Sangs Royaux! Préparez-vous à attaquer! ordonna Atius à ses vaillants soldats.

Les bernaches réduisirent leur vitesse et le souverain marlot parvint à sa monture sur une autre outarde avec l'aide d'Ellius. Il plongea le premier du haut des airs sur le dos de son gros-bec qui se libéra rapidement de ses liens. Les autres Marlots et les Sangs Royaux le rejoignirent.

— Tout ira bien, mon ami ! dit Ectar à Steve avant de basculer à son tour dans le vide.

— À l'attaque ! À l'attaque ! crièrent simultanément les deux rois en dégainant leur épée.

Chapitre 31

Printemps
Tout près de la cité marlotte,
Haute-Mauricie

Lorsque je vis le lac de mon grand-père apparaître au loin, j'abandonnai mon traîneau pour me précipiter vers l'étendue glacée. *Nous y sommes !* Par contre, au même instant, j'entendis des centaines de cris terrifiants et une peur soudaine m'envahit. *Les cris des Trojas !* Jamais je n'avais entendu d'aussi effroyables rugissements ! Anne et moi étions tétanisés, tandis qu'Edward poursuivait courageusement son chemin vers le lac où les Trojas semblaient se trouver. Malgré la peur qui le faisait trembler, il voulait venir en aide à son meilleur ami, Ectar.

— Edward ! Attends ! cria Anne en voyant filer son enfant.

Je repris ma route avant de m'immobiliser de nouveau, à une cinquantaine de mètres de la falaise. Sur la paroi rocheuse rampaient de petites créatures. *Les Trojas!* Il y en avait partout et ces monstres semblaient enragés! Ils étaient devant moi, déjà en plein combat!

Je vis alors tomber de nulle part une pluie de petites créatures ailées et d'oiseaux qui se ruèrent tous directement sur le groupe d'envahisseurs! *La Lignée Royale?*

— À l'attaque! cria Ectar, emporté par l'action.

Les Sangs Royaux entrèrent violemment en collision avec les Trojas qui grimpaient le long de la falaise. L'affrontement final venait officiellement de commencer!

— Empêchez-les d'atteindre l'entrée! ordonna Atius tout en frappant un monstre à la tête.

La formation de bernaches se posa sans attendre sur le lac gelé et le reste de l'armée marlotte put se lancer dans un corps à corps contre les Trojas qui se massaient au pied de la falaise. Ils sortaient de leur tanière en un flot ininterrompu et, au bout d'un bref moment, une centaine de ces démons se dirigèrent vers la cité en tentant d'éviter les Sangs Royaux et les Marlots sur leurs gros-becs. Attaqués de toute part, plusieurs Trojas perdirent prise et dégringolèrent le long de la paroi rocheuse. Leurs corps s'écrasèrent sur la glace du lac qui, bientôt, céda. L'armée marlotte au sol réussit de justesse à fuir les eaux meurtrières qui engloutirent rapide-ment la glace.

Plus haut, des Trojas, enhardis par la force de leur nombre et l'effet de la pleine lune, libérèrent le passage menant à la cité et s'y enfoncèrent par dizaines. En arrivant sur la place publique, ils furent surpris de constater qu'aucun Marlot ne s'y trouvait. Ceci, jusqu'à ce que le commandant Rufus ne sorte de sa cachette qui surplombait les lieux grouillant d'ennemis.

— Soldats, préparez vos armes! ordonna-t-il.

Alors, des dizaines de Marlots sortirent à leur tour de leur cachette. Ils découvrirent leurs armes dissimulées sous des pièces de tissu. Leurs arbalètes géantes étaient prêtes à lancer des carreaux bien pointus.

— Tirez! cria-t-il.

Une pluie de flèches atteignit les premiers Trojas qui tombèrent au sol, transpercés. Les démons réagirent en escaladant les balcons des appartements pour saigner les arbalétriers qui s'y trouvaient.

Guliaf avait rejoint Daïa dans un appartement. Ils devaient faire partie d'une seconde vague défensive et attendaient l'ordre d'effectuer une sortie avec les autres. Ils tremblaient, mais étaient prêts à donner du fil à retordre aux envahisseurs.

— Daïa ! dit l'éclaireur faiblement.

— Oui ? répondit-elle sans quitter des yeux la porte menant au balcon.

— Je sais que ce n'est pas le meilleur moment pour te le dire…

— Me dire quoi ?

Guliaf prit une pause même si la situation demandait de faire vite.

— Je… Je…

Le jeune éclaireur qui désirait tant se déclarer n'y parvenait pas, même en sachant qu'il s'agissait peut-être de sa dernière chance de le faire avant que la mort ne le frappe. Il se méprisait pour cette faiblesse.

— … t'aime ? devina la Marlotte.

Guliaf regarda intensément Daïa. Elle le fixait et l'interrogeait du regard. Guliaf se ressaisit enfin :

— Oui ! Je t'aime, Daïa !

— DEUXIÈME VAGUE ! cria le commandant Rufus de l'extérieur alors que les Trojas approchaient dangereusement des positions des arbalétriers.

Au lieu de bondir hors de l'appartement comme l'ordonnait le commandant, la petite guerrière sauta dans les bras du Marlot. Le cœur de Guliaf s'emballa aussitôt et il serra de toutes ses forces celle qu'il aimait plus que tout, celle avec qui il trouvait enfin le bonheur dans le pire des enfers ! Daïa l'aimait ! Daïa l'aimait !

Guliaf et Daïa durent interrompre leur étreinte pour sortir de l'appartement et surgir sur le balcon. Ils y repoussèrent de toutes leurs forces un Trojas qui s'accrochait déjà à la rambarde. La créature s'écrasa violemment sur ses congénères encombrant la place centrale.

— Envolez-vous, mes amis !

Olef, qui observait la scène depuis les perchoirs, venait de relâcher ses braves bêtes. Celles-ci, au lieu de s'enfuir, se mirent à harceler les Trojas à coups d'ailes, de griffes et de bec. Plus loin, la reine Enia elle-même avait revêtu son armure et ceint le baudrier auquel était suspendue l'épée royale. Elle se battait contre un Trojas gravissant les colonnes du palais. D'une terrasse, elle réussit à l'étrangler à l'aide d'une sorte de licou avant de le faire plonger dans le vide. Bref, tous combattaient énergiquement l'ennemi qui ne savait plus où donner de la tête. La résistance fonctionnait. Le peuple marlot tenait bon.

Chapitre 32

Printemps
Tout près de la cité marlotte,
Haute-Mauricie

— Ectar ! Ectar ! cria soudainement Edward en apercevant son meilleur ami sur le dos de Steve qui survolait le champ de bataille extérieur.

Edward courait vers la falaise. Anne et moi tentions de le rattraper, mais étant beaucoup plus léger que nous, Edward se trouva rapidement au pied de la paroi qu'il commença à escalader. Sa mère, inquiète, l'appela plusieurs fois en vain.

— Reviens ici. Attention aux Trojas ! Edward, reviens !

Malheureusement, le garçon demeura sourd à cette supplique : il voulait rejoindre son ami Ectar.

— Robert, lance les boules à mites !
Lance les boules à mites ! m'ordonna Anne
en pleurs, espérant que je sauve ainsi son
fils qui s'approchait dangereusement des
Trojas.

Je fouillai rapidement dans mes poches,
mais je ne les trouvai pas ! *Non ! Ce n'est
pas possible !* Je paniquai lorsque je me
rendis compte que j'avais oublié la naphtaline dans le traîneau ! Edward escaladait
toujours la paroi lorsque je décidai de
rebrousser chemin pour aller vers les
bagages.

Au même instant, Ectar reconnut enfin
Edward et il plongea directement vers lui.
Le Marlot sauta du dos de Steve et s'abattit
violemment sur un Trojas qui essayait de
mettre les pattes sur le garçon. La créature
tomba dans les eaux glacées tandis
qu'Edward rattrapa Ectar de justesse.

La bataille fit ses premières victimes
dans les rangs d'Harald et d'Atius. Les Trojas
broyèrent plusieurs braves entre leurs crocs.
D'autres monstres balancèrent dans le vide
des soldats marlots qui s'agrippaient à la
falaise. La guerre était sans pitié et les alliés
devaient faire preuve de beaucoup de

courage. Harald et quelques autres entreprirent de traverser le passage menant à la cité. Les guerriers y combattirent vaillamment tous les monstres qui eurent le malheur de croiser leur chemin. Ainsi, Harald et ses hommes atteignirent bientôt la cité en plein tumulte.

— Nous y sommes enfin ! dit-il en apercevant les Marlots qui défendaient leurs positions sur les balcons des appartements entourant la place centrale.

Du palais, la reine Enia vit le groupe de Marlots étrangers et, surtout, quelques Sangs Royaux qui pénétraient valeureusement dans sa ville. Une joie indescriptible l'envahit aussitôt.

— La Lignée Royale ! La Lignée Royale ! annonça-t-elle aux siens.

La nouvelle se répandit d'un balcon à l'autre. Ectar avait accompli sa mission ! Les membres de la Lignée étaient là. Plus encore : des Marlots venus d'on ne savait où arrivaient en renfort. La victoire semblait possible. Encouragés, les habitants de la cité se battirent encore plus férocement.

À l'extérieur, des Trojas qui étaient tombés dans les eaux froides réapparurent soudainement à la surface de l'onde. Ces ennemis, desquels les alliés croyaient s'être débarrassés définitivement, n'étaient donc pas morts.

— Ellius ! cria Atius en pointant les revenants.

Ellius et quelques Sangs Royaux quittèrent sans attendre leur position pour monter leurs bernaches demeurées au sol. Ils fouillèrent énergiquement dans les bagages attachés aux oiseaux pour y récupérer de vastes filets empesés qu'ils déployèrent au-dessus du lac avant de les y laisser tomber sur l'ennemi. Piégés, les Trojas coulèrent à pic.

Cette petite victoire n'empêcha pas les Trojas d'envahir la falaise. Bientôt, ils arrivèrent en masse à l'entrée du tunnel menant au cœur de la cité.

— Tous à l'intérieur ! cria Atius, refoulé dans le passage alors qu'il tentait de rejoindre Harald.

Le roi de la Lignée Royale n'avait maintenant plus le choix : il allait devoir rassembler ses troupes dans la ville afin d'y organiser une dernière offensive.

— Qu'est-ce que tu fais ici ? demanda Ectar à Edward.

— Je viens t'aider ! Jamais je ne te laisserai tomber ! Jamais ! répéta-t-il.

Ellius fut le dernier à atteindre la place centrale où se trouvaient maintenant réunis les Marlots de l'armée d'Harald, les Sangs Royaux et les habitants de la cité. Harald et Atius tinrent conseil.

— Je croyais qu'il ne restait plus de Trojas dans la cité ! dit Atius en regardant sur les balcons.

— Je croyais qu'il n'en restait plus dehors ! rétorqua le souverain marlot en voyant arriver des Trojas par le tunnel.

— Nous sommes encerclés ! Nous sommes cuits ! s'exclama Atius.

Chapitre 33

Printemps
Tout près de la cité marlotte,
Haute-Mauricie

— Mais où sont-elles? Où sont-elles? m'énervai-je en mettant les bagages sens dessus dessous. Je ne les ai quand même pas oubliées dans la camionnette! C'est impossible!

Anne était au pied de la falaise, mais elle était incapable de l'escalader. Ayant retiré ses raquettes, elle les utilisait pour frapper les Trojas qui traînaient encore là et qui tentaient de lui mordre les mollets. Tout en écrasant les petits monstres, elle appelait son garçon qui poursuivait son ascension vers l'entrée de la cité, bien au-dessus du lac. Anne rageait tout en pleurant, car elle redoutait que son fils ne tombe dans les eaux glacées ou qu'il ne soit blessé par les

Trojas. Edward, quant à lui, ne voulait pas rebrousser chemin.

Ne trouvant nulle part les boules à mites, je regagnai le lac avec ma hache, espérant faucher quelques Trojas. Ceux qui tomberaient sous ma lame n'atteindraient jamais mon jeune ami.

Le spectacle à l'extérieur n'était rien comparativement à celui qui se déroulait au cœur de la falaise. Les Marlots sous les ordres d'Harald avaient formé une masse compacte et circulaire au milieu de la place publique. Ils espéraient ainsi protéger leurs arrières tout en affrontant l'ennemi qui surgissait de toute part. Les Sangs Royaux volaient au-dessus de la formation marlotte et se préparaient à la couvrir. Un premier ennemi se présenta. Ellius fondit sur le monstre et lui enfonça son épée dans le corps jusqu'à la garde. La suite se mua en une mêlée indescriptible.

Pendant ce temps, sur les balcons et dans les appartements de la cité, la situation n'était pas plus reluisante. Les Marlots de

la reine Enia ne parvenaient pas à neutra-
liser l'ennemi. Les habitants, avec leurs
armes de fortune, peinaient à tuer les Trojas
dont la peau était épaisse et dure. Les
monstres gagnaient de plus en plus de
terrain. Les arbalétriers étaient débordés.
Bientôt, le commandant Rufus sonna à
regret la retraite:

— Fuyez comme vous le pouvez!
Barricadez-vous dans les appartements!
suggéra Rufus tout en combattant un Trojas
à mains nues.

Sur la place centrale, les attaques de la
Lignée Royale étaient efficaces, mais les
Trojas continuaient d'affluer en grand
nombre par le tunnel. Bientôt, ils furent
trop nombreux pour les alliés. Atius et
Harald n'eurent d'autre choix que d'or-
donner à tous de se retirer dans le palais.
Salek et une dizaine d'autres Marlots s'y
étaient déjà réfugiés en compagnie des
habitants de la ville qui n'étaient pas en âge
ou en état de se battre.

— Ouvrez-nous la porte, c'est nous!
crièrent les soldats.

Salek leur ouvrit.

— Faites vite! hurla-t-il.

Quelques valeureux guerriers offrirent une dernière résistance à l'ennemi pour couvrir la fuite de leurs amis avant de tomber sous les crocs des Trojas.

La fin approchait, il n'y avait aucun doute là-dessus…

— Non, n'y va pas ! lança Edward à Ectar qui s'enfonçait dans le tunnel.

Edward avait grimpé jusqu'à l'entrée de la cité de laquelle s'échappaient des cris de détresse et de souffrance. Il tenta de dissuader Ectar de se joindre au combat qui faisait rage dans la ville, mais le Marlot, vif comme l'éclair, fila dans le tunnel vers une mort certaine. Celle de son peuple et de toute l'armée alliée !

Barricadés derrière les portes de bois de leurs appartements, les habitants et les soldats se blottissaient les uns contre les autres. Des coups violents, assenés de l'extérieur, faisaient trembler les doubles vantaux. Les Trojas seraient bientôt là, puis s'ensuivrait le massacre. Guliaf et Daïa avaient réussi à atteindre un appartement avant qu'un démon ne les attrape. Appuyés contre leur porte, ils espéraient empêcher la mort d'entrer chez eux.

Au palais, sans en avoir l'air, chacun se faisait ses adieux.

— Je n'aurais pas cru terminer ma vie à vos côtés ! lança Atius avec flegme à Harald.

— J'ai toujours pensé que j'avais plus de chance que vous de m'en sortir ! avoua Harald. Mais c'est tout de même un honneur de vivre mes derniers instants avec vous, mon cher ami !

Dans un appartement voisin, Olef reposait entre les bras d'Ellius. En effet, alors qu'un Trojas avait réussi à s'emparer de l'héritier en faisant un bond fabuleux, Olef n'avait pas hésité à sauter de sa monture en vol pour frapper le monstre de son épée.

Cependant, en s'écrasant au sol, le moinier avait perdu connaissance. Ellius l'avait aussitôt mis à l'abri et attendait maintenant un miracle.

⮌

— L'amour nous aura quand même permis de tenir un bon bout, ma reine ! dit le commandant Rufus à la doyenne de la cité.

— Je suis fière de vous, commandant, très fière de vous ! le remercia-t-elle avant que la porte de la pièce ne soit pulvérisée par les griffes d'un Trojas.

⮌

Edward appelait désespérément son ami à travers le tunnel, mais ne le voyait déjà plus. Rassemblant ses dernières forces, le garçon glissa la main dans sa poche de manteau et en retira l'arme suprême susceptible de sauver le peuple marlot : le sac de boules à mites ! Je compris en le voyant que le sac était en la possession d'Edward depuis un bon moment. *Oui, pensai-je, balance*

tout ça dans le tunnel et ce sera fini ! Les Marlots seront sauvés ! D'une main maladroite, le souffle court, Edward écrasa le sac contre la pierre de la falaise afin de broyer les boules à mites. Anne et moi tentions de l'encourager tout en massacrant les derniers Trojas au pied de la falaise.

— Vas-y, Edward ! Tu es capable ! criâmes-nous en chœur.

Ragaillardi, Edward eut alors l'énergie d'écraser les dernières boules à mites. Il vida le sac à l'entrée du tunnel. Un coup de vent souffla la poussière de naphtaline vers la cité. La fumée blanche de Thomas Rousset parcourut rapidement le passage étroit pour se disperser dans la place publique où les Trojas se trouvaient. Des plaintes horribles se firent aussitôt entendre.

Les monstres ne pouvaient plus respirer. Ils abandonnèrent sans tarder le combat pour se diriger en désordre vers la sortie. Seuls quelques Trojas réussirent à passer le goulet d'étranglement qu'était devenu le tunnel. Ceux-là surgirent devant Edward, toujours agrippé à la paroi rocheuse.

— NON ! cria Anne en apercevant son garçon qui reçut des Trojas à la figure avant de tomber dans les eaux noires du lac.

Anne se précipita sans hésiter dans les flots. Empêtrée dans ses vêtements, elle nagea difficilement vers son fils qui avait déjà disparu sous l'onde. Elle plongea à plusieurs reprises pour le retrouver. Soudain, elle sentit quelque chose lui frôler la jambe. *Edward!* Elle agrippa fermement la main du garçon, le ramena à la surface et regagna la rive avec lui où je l'attendais avec des couvertures que j'avais prises sur le traîneau. J'aidai Anne à allonger son petit homme tout bleu sur la neige.

— Non! Edward! Non! pleurait-elle en entamant des manœuvres de réanimation.

Edward ne bougeait plus. Voir ce gamin inconscient me fendit le cœur. Le jeune camelot qui m'avait tenu compagnie ces derniers mois était en train de rendre son dernier soupir. Je me sentais désemparé et impuissant. *Edward! Ne meurs pas, mon garçon!*

Alors que je cachais mon visage entre mes mains, j'entendis un petit râle. J'écartai mes paumes et aperçus Edward qui revenait à lui! Je pleurai à chaudes larmes tellement j'étais content de le voir respirer! Nous aidâmes le petit héros à s'asseoir et, en le manipulant, je me rendis compte que quelque chose bougeait au creux de sa main. *Un Trojas!* Mais je fus vite rassuré. Edward écarta ses doigts qui n'avaient retenu nul autre qu'Ectar. Le Marlot se releva péniblement. Je compris alors qu'Edward avait réussi à attraper en plein vol son frêle ami emporté par la vague de Trojas qui fuyaient désespérément la fumée blanche! Mon camelot avait sauvé la vie d'Ectar et de tout le peuple marlot!

Chapitre 34

Printemps
Tout près de la cité marlotte,
Haute-Mauricie

— Il y a quelqu'un dans cette pièce ? s'empressa de crier Salek.

Une fois la fumée blanche dissipée et l'ennemi éliminé, les Marlots et les Sangs Royaux fouillèrent la cité à la recherche de survivants. Harald et Atius, accompagnés par Salek, pénétrèrent avec difficulté dans une petite chambre du palais dont la porte avait été pulvérisée par l'ennemi. Ils virent sur le plancher un Marlot qui peinait à se relever.

— Commandant Rufus ! le reconnut aussitôt Salek.

Rufus se réveillait tant bien que mal après avoir essuyé un puissant coup de griffes au visage en tentant de protéger la reine d'un Trojas.

— La reine Enia! balbutia-t-il en la cherchant du regard.

Mais la souveraine n'était pas à ses côtés comme il l'avait espéré. À sa place était étendu un Trojas mort. De rage, Rufus se leva et asséna un violent coup de pied à la dépouille du monstre. Quelle ne fut pas la surprise de tous lorsque le corps roula, dévoilant la reine, étendue par terre, l'épée à la main. De toute évidence, elle avait transpercé son ennemi avant qu'il ne s'effondre sur elle. Le reine ouvrit lentement les yeux.

— Vivante, elle est toujours vivante! s'exclamèrent Atius et Harald.

— Mais qui êtes-vous? demanda faiblement Enia au souverain marlot.

— Vous ne sauriez deviner, ma chère amie, vous ne le sauriez! lui répondit-il en souriant.

Ellius avait traîné Olef jusqu'à la place centrale où il commençait à reprendre ses sens. Après avoir sauvé *in extremis* la vie de l'héritier, le moinier avait du mal à se remettre de sa chute, mais ses blessures étaient superficielles et il allait s'en sortir. Ellius remercia chaleureusement son sauveur en lui empoignant l'épaule.

— Ectar vous a finalement trouvés ! marmonna le moinier avant de se rendormir paisiblement.

Après avoir escaladé en vitesse la paroi rocheuse, Ectar courut à grandes foulées vers sa cité bien-aimée en contournant les corps des Trojas et, malheureusement, ceux d'alliés tombés au combat. Il s'effondra de joie lorsqu'il arriva enfin sur la place centrale où nombre de ses amis étaient réunis, bien en vie. Sa joie redoubla lorsqu'il vit Guliaf au bras de Daïa.

— Ectar ! Ectar ! s'écria ce dernier.

Guliaf rejoignit immédiatement son ami pour lui donner l'accolade. Ectar avait accompli sa mission. Bientôt, tous aperçurent le messager victorieux sur la place. Tous reconnurent l'éclaireur qui avait réussi à sauver son peuple.

— Ectar ! cria Ellius en levant son épée dans les airs. Ectar !

— Ectar ! reprit joyeusement Salek, fier de son compatriote.

— Ectar ! Ectar ! continuèrent d'autres habitants.

Bientôt, tous scandèrent le nom du héros qui était enfin revenu vers eux ! Une légende venait de naître parmi le peuple marlot : Ectar !

— *Ectar ! Ectar ! Ectar ! Ectar ! Ectar ! Ectar ! Ectar ! Ectar !*

Chapitre 35

Printemps
Cabane du lac Petigoué

J'avais retrouvé, au milieu d'un bosquet de pins, la cabane de mon grand-père. J'avais passé la nuit à y alimenter le petit poêle. L'aube était sur le point de se lever. Edward et Anne dormaient encore et sem~ blaient avoir repris des forces. Je restais à leur chevet, heureux de les voir en vie. Je m'approchai doucement d'Edward qui se réveilla au même instant.

— J'ai un visiteur pour toi ! lui dis~je.

Ectar apparut alors sur les couvertures, à côté de l'enfant. Le Marlot affichait une mine joyeuse.

— Tout le peuple marlot se joint à moi pour te remercier, Edward ! Sans toi, jamais nous n'aurions pu venir à bout des Trojas ! avoua l'éclaireur, reconnaissant.

— Pas trop mal, pour un petit che-vreuil! ricanai-je. Ne sommes-nous pas, à vos yeux, aussi peu intéressants que ces cervidés?

— Je crois que mon peuple ne vous considérera plus ainsi après tout ce que vous avez fait pour lui! Je sens qu'au-jourd'hui est le début d'une amitié durable entre les Marlots et certains hommes!

— Et certaines femmes! ajouta Anne qui revenait à elle.

Je la rejoignis à l'autre extrémité de la minuscule pièce. Même épuisée par ses mésaventures, elle était toujours aussi resplendissante à mes yeux. D'ailleurs, les dernières semaines à ses côtés m'avaient fait réaliser à quel point elle m'était précieuse.

Elle prit ma main.

— Je te remercie de m'avoir sauvé la vie!

— Mais, tu es revenue par toi-même à la rive… en traînant Edward, la corrigeai-je, mal à l'aise.

— Non! Je veux te remercier de m'avoir sauvé *la vie*! Depuis le jour où je t'ai rencontré, mon cœur a enfin recommencé à battre, Robert! précisa-t-elle simplement.

Elle m'offrit alors un regard plein de tendresse et je compris que je ne serais plus jamais seul durant les Fêtes, ni durant le restant de mes jours…

Je me penchai pour embrasser la femme avec qui je trouvais enfin le bonheur.

— Beuh! dirent Edward et Ectar en chœur. C'est dégoûtant!

TABLE DES CHAPITRES

**Samuel
Milot**

Né le 19 novembre 1984 à Saint-Luc-de-Vincennes, Samuel Milot est diplômé de l'École nationale de police du Québec. Écrivain à ses heures, il termine, à l'âge de vingt-quatre ans, son premier roman pour la jeunesse : *Les Marlots, la découverte*. Amateur de sports extrêmes, il aime voyager à travers le monde avec son sac à dos et rêve de visiter tous les continents du globe. L'auteur habite aujourd'hui Trois-Rivières.

COLLECTION CHACAL

Ce livre a été imprimé
sur du papier enviro 100 % recyclé.

Empreinte écologique réduite de :
Arbres : 10
Déchets solides : 400 kg
Eau : 31 705 L
Émissions atmosphériques : 1 039 kg

Ensemble, tournons la page sur le gaspillage.